CAHIER PERSONNEL D'APPRENTISSAGE

J. Pécheur / J. Girardet

B1.2

www.cle-inter.com

Crédits photographiques

p. 2 : couverture : © robert – Fotolia.com/ © Frog 974 – Fotolia.com/ © mtkang – Fotolia.com/ © jan37 – Fotolia.com ; main : © vasabii – **p. 6 :** © TCD/ BOUTEILLER/Prod DB/Universal/DR –**p. 8 :** © PHOTO12.COM/J. M. Périer – **p. 9 :** © La Baleine Blanche/Turbe. Nathalie – **p. 10 :** © PHOTO12.COM/J. B. Leroux – **p. 16 :** © P. LANDO – **p. 19 :** © PHOTO12.COM/ Keystone/Pressediens – **p. 23 :** © LEEMAGE/J. Bernard – **p. 28 :** © SIPA PRESS/TF1/Chevalin – **p. 37 :** © P. Ciot – **p. 38 :** © RUE DES ARCHIVES/BCA/Walt Disney – **p. 41 :** © RUE DES ARCHIVES/BCA – **p. 44 :** © Fotolia/Chlorophylle – **p. 45 :** © URBA IMAGES/G. Danger – **p. 49 :** © LEEMAGE/MP – **p. 51 :** © PHOTONONSTOP/J. Loïc – **p. 52 :** © Fotolia/Ch. Jung – **p. 53 :** © REA/R. Desmaret – **p. 58 :** © LIGHT MOTIV/Cuylenspiegel – **p. 59 :** © MARCO POLO/F. Bouillot – **p. 64 :** © RUE DES ARCHIVES/BCA – **p. 68 :** © CHRISTOPHE L/Besson – **p. 69 :** © BSIP/Mendil – **p. 70 :** © ROGER-VIOLLET – **p. 71 :** © REA/ Damoret – **p. 73 :** © REA/Invisions/Gerasimos Domenikos – **p. 76 :** © Fotolia/A. Brown – **p. 78 :** g : © OPALE/F. Myss ; mg : © RUE DES ARCHIVES/L. Monier ; md : © LEEMAGE/Effigie ; d : © LEEMAGE/Effigie – **p. 80 :** © ROGER-VIOLLET/J. R. Roustan – **p. 81 :** © CORBIS/J. Zukerman – **p. 85 :** © TCD/ BOUTEILLER/Haut et Fort/DR – **p. 92 :** © Fotolia/J. Gitt.

N° de projet : 10224872 - Dépôt légal : Janvier 2014
Achevé d'imprimer en Italie en mars 2016 par Grafica Veneta - Trebaseleghe

Direction éditoriale : Béatrice Rego
Édition : Isabelle Walther
Conception et réalisation : Nada Abaïdia/DOMINO
Recherche iconographique : Nathalie Lasserre

ISBN : 978-2-09-038493-2

Sommaire

N.B. **00** Les activités d'écoute sont signalées avec le numéro de la piste d'enregistrement sur le CD.

Vous y êtes allé ?

- ☑ situer, décrire un déplacement
- ☑ décrire des sensations
- ☑ maîtriser l'emploi des prépositions et adverbes de localisation et de déplacement

Travail avec les pages Interactions

Vocabulaire

• âne (n.m.) ______
charpente (n.f.) ______
dénombrement (n.m.) ______
maçonnerie (n.f.) ______
pavage (n.m.) ______
pisteur (n.m.) ______
relique (n.f.) ______
taille (n.f.) ______
• accessible (adj.) ______
adossé (adj.) ______
banal (adj.) ______
faunique (adj.) ______
• converger (v.) ______

1. Vérifiez votre compréhension de la page magazine du livre : « Voyager autrement » (p. 10-11 du Livre de l'élève).

a. Situez les lieux :
Saint-Victor-la-Coste : ______
Waza : ______
Cévennes : ______

b. Où sont proposées ces activités ?
Dénombrer : ______
Restaurer : ______
Voyager à pied : ______

c. Décrivez les activités proposées ?
Travaux de restauration : ______
Dénombrement : ______
Randonnée : ______

2. Trouvez le substantif : formez des expressions.

a. Restaurer : la ______ d'un tableau
b. Sauvegarder : ______ d'une espèce
c. Rencontrer : ______ avec un spécialiste
d. Raconter : ______ d'une découverte
e. Orienter : ______ d'une recherche
f. Converger : ______ des points de vue

3. Les mots ont un autre sens : associez les expressions des deux colonnes.

a. Il travaille dans la restauration.
b. C'est un âne !
c. Drôle de faune !
d. Elle a su camper le personnage.
e. J'émets quelques réserves.

1. Quel idiot !
2. Pas tout à fait d'accord.
3. Bon cuisinier.
4. Bonne actrice.
5. Bizarres, ces gens.

4. Retrouvez le sens de ces expressions imagées liées au voyage. Associez.

a. Il m'a mené en bateau.
b. Le standardiste m'a envoyé promener.
c. Il se noie dans un verre d'eau.
d. On n'est pas sorti de l'auberge.
e. Il a des valises sous les yeux.

1. Les problèmes ne font que commencer.
2. Il n'a pas voulu écouter ma demande.
3. Il a très peu dormi.
4. Il a voulu me faire croire à quelque chose.
5. Pour lui, la moindre difficulté devient un problème.

Travail avec les pages Ressources

Vocabulaire

• cime (n.f.) ____________
marécage (n.m.) ____________
prison (n.f.) ____________
ravin (n.m.) ____________
• longer (v.) ____________

1. Trouvez les prépositions et les verbes correspondants. Aidez-vous du tableau page 13.

Le lieu	La préposition qui permet de situer	Le verbe qui indique le mouvement
a. l'intérieur		
b. l'extérieur		
c. le long		
d. le côté		
e. le tour		

C'est à savoir

Pour situer, décrire un déplacement
Révisez le tableau de la page 13.

2. Se situer : complétez à l'aide de prépositions.

a. Elle travaille ____________ Besançon. Elle voyage souvent ____________ Amérique du Sud. Le mois dernier, elle est allée pour son travail ____________ Chili et ____________ Bolivie.

b. Amélie passe ses vacances ____________ Maroc. Elle loue une maison ____________ Essaouira où elle a beaucoup d'amis qui résident ____________ cette ville. Elle peut ainsi aller ____________ eux très souvent.

3. Elle veut dire le contraire...

a. Nous travaillons près / ______________ de chez nous.

b. Mon bureau se trouve au-dessus de / ______________ celui de mon ami.

c. L'immeuble est situé en haut / ______________ de l'avenue des Ternes.

d. Je peux garer facilement ma voiture dans le parking devant / ______________ l'immeuble.

e. Ce qui est pratique, c'est que le self se trouve à l'extérieur / ______________ du bâtiment où on travaille.

f. Heureusement, il y a un arrêt de bus juste après / ______________ le bureau.

4. Racontez la course poursuite du film : trouvez les mots de localisation.

Tu te souviens de la course poursuite à pied dans le film avec Matt Damon ?

Il monte ______________ le train, descend ______________

wagon ______________ l'autre porte.

Puis, il se baisse pour passer ______________ une locomotive,

court ______________ le pont, cherche l'escalier qui lui permet d'aller

se cacher ______________ l'arche du pont.

Ensuite, il court ______________ du quai qui borde le canal, saute ______________

une péniche en train d'être déchargée et disparaît.

5. Répondez à l'aide des verbes entre parenthèses. Utilisez les auxiliaires *être* ou *avoir*.

a. Vous **avez traversé** la ville ?

– Non, je l' ______________ . (*contourner*)

b. Vous ______________ la grande côte à la sortie ? (*monter*)

– Oui, nous ______________ par là. (*passer*)

c. Vous ______________ la voiture devant la maison ? (*garer*)

– Non, nous l' ______________ dans la cour. (*rentrer*)

d. Vous ______________ les bagages ? (*sortir*)

– Oui, nous les ______________ dans l'entrée. (*poser*)

e. Ah ! j'oubliais, vous ______________ un bon voyage ? (*faire*)

– Eh bien vous voyez, nous ______________ bien ______________ . (*arriver*)

6. 1 et 2 Travaillez vos automatismes.

a. Vous allez à Bordeaux ?

– **Oui, j'y vais.**

• Vous venez de la réunion ?

– Oui, ______________

• Vous passez au bureau ?

– Oui, ______________

• Tu nous retrouves au café ?

– Oui, ______________

• Tu nous raconteras ton entretien?

– Oui, ______________

b. J'ai lu l'article, il faut le refaire.

– **Ah ! je dois le refaire.**

• J'ai vu la scène, il faut la recommencer.

– Ah ! Je dois ……………………

• J'ai entendu le dialogue, il faut le redire.

– Ah ! Je dois ……………………

Travail avec les pages Projet

Vocabulaire

• aiguille (n.f.) …………	crique (n.f.) …………	ravin (n.m.) …………
archipel (n.m.) …………	dune (n.f.) …………	raz-de-marée (n.m.) …………
atoll (n.m.) …………	faille (n.f.) …………	résurgence (n.f.) …………
baie (n.f.) …………	falaise (n.f.) …………	ruée (n.f.) …………
rire (n.m.) …………	fonte (n.f.) …………	torrent (n.m.) …………
cap (n.m.) …………	grotte (n.f.) …………	versant (n.m.) …………
cascade (n.f.) …………	oasis (n.f.) …………	• argileux (adj.) …………
caverne (n.f.) …………	pente (n.f.) …………	paradisiaque (adj.) …………
chute (n.f.) …………	pic (n.m.) …………	raviné (adj.) …………
cime (n.f.) …………	précipice(n.m.) …………	• planer (v.) …………

Vérifiez votre compréhension

1. Caractérisez ces lieux avec un adjectif.

Ardent – aride – bleu – caché – cristalline – fin – profond – tropical.

a. une eau ……………………

b. un lagon ……………………

c. un ravin ……………………

d. du sable ……………………

e. une crique ……………………

f. un désert ……………………

g. un soleil ……………………

h. une forêt ……………………

2. Associez les mots des deux colonnes. Précisez la différence.

a. un archipel	**1.** un canyon	…………
b. un cap	**2.** une île	…………
c. une crique	**3.** un golfe	…………
d. un ravin	**4.** une gorge	…………
e. un ruisseau	**5.** une rivière	…………
f. une vallée	**6.** une péninsule	…………

Parlez

3. Employer les verbes d'observation : associez.

Scruter – distinguer – regarder – remarquer – contempler – observer – surveiller.

a. .... la réalité en face

b. .... la règle

c. .... la ligne d'horizon

d. .... son adversaire

e. .... un paysage

f. .... le vrai et le faux

g. .... un changement de comportement

4. Scène de ménage : dites-le autrement avec les verbes de la liste.

Toucher – sentir – entendre – écouter – regarder.

a. Il n'en fait qu'à sa tête.

→ Il n'.. que lui-même.

b. Il est complètement fermé sur lui-même.

→ Il n'.. rien de ce qu'on lui dit.

c. Je ne peux plus le supporter.

→ Je ne peux plus le ....

d. Il peut me dire ce qu'il veut, je ne me sens pas concerné.

→ Il peut me dire ce qu'il veut, ça ne me .... pas.

e. Je suis insensible à ses remarques.

→ Elles ne me .... pas.

5. Lisez l'interview ci-après. Vous connaissez Faustine Mantrand. On vous pose des questions sur son voyage. Répondez.

a. Combien de temps Faustine est-elle partie ?

....

b. Comment s'appelle l'association avec laquelle elle est partie ?

....

c. Combien étaient-ils à bord du bateau ?

....

d. Dans quel pays a-t-elle séjourné ?

....

e. Qu'est-ce qu'elle a retenu de l'expérience ?

....

....

f. Quel est son meilleur souvenir ?

....

....

✦ **forum**

« On me dit que j'ai mûri »

Faustine Mantrand, 16 ans, lycéenne

Faustine est partie 9 mois avec la Baleine blanche. Cette association envoie des jeunes de 12 à 15 ans faire des expéditions maritimes. Pendant plusieurs mois, les adolescents apprennent à manœuvrer un bateau, explorent les fonds marins et se font journalistes pour témoigner du monde qui les entoure. Pour financer son périple, Faustine a obtenu des subventions, notamment auprès du conseil général du Loir-et-Cher.

Fe : *À 14 ans vous êtes partie neuf mois avec la Baleine blanche. Cela ne vous effrayait pas de quitter votre famille si longtemps ?*

F.M. : Je me doutais que cela ne serait pas facile mais je me sentais capable. L'idée de voyager, de partager cette découverte avec d'autres jeunes me plaisait énormément. De leur côté mes parents m'ont soutenue dans ce projet parce qu'ils savaient qu'il me tenait à cœur.

Fe : *Vos premiers pas sur le bateau ?*

F.M. : Les trois premières semaines sont les plus dures car vos proches vous manquent et toutes les règles de vie ne sont pas encore mises en place. En même temps, vous êtes pris par l'effervescence du départ et la préparation des reportages. À bord, nous étions 7 enfants et 2 adultes. À tour de rôle, nous devions faire la cuisine et nettoyer une partie du bateau. Nous avons aussi appris la navigation. Il fallait assurer les quarts de nuit, en respectant le sommeil des autres. À la fin, nous savions manœuvrer seuls. Mais bien sûr, nous pouvions appeler le skipper en cas de problème.

Fe : *En quoi a consisté votre travail de reporter ?*

F.M. : Chacun s'est spécialisé dans un domaine : photo, vidéo, etc. Comme j'aimais écrire, je rédigeais des articles qui paraissaient sur le site et dans le journal de l'association. Parmi les thèmes proposés, je me suis intéressée à la condition des femmes. Nous avons séjourné trois mois en Égypte et nous avons visité des villages. On passait du temps avec les femmes et on leur posait des questions sur leur mode de vie, avec les rudiments d'arabe que nous avions appris. On se faisait aussi comprendre par gestes et on observait. Je me suis rendue compte que ces femmes n'étaient pas aussi soumises que je le supposais. Aujourd'hui d'ailleurs, quand je témoigne de mon expérience devant d'autres jeunes, je leur dis de ne pas se fier à ce que l'on raconte mais de rencontrer les gens pour se faire leur opinion.

Fe : *Que retirez-vous de cette expérience ?*

F.M. : On me dit souvent que j'ai mûri. C'est vrai que vivre à plusieurs sur un bateau apprend à se montrer tolérant et à faire des efforts. Par exemple, j'ai mis un bémol sur mon côté directif ! J'ai tissé aussi des liens forts avec le groupe de jeunes. Un de mes meilleurs souvenirs, c'est celui de la soirée chez l'habitant. Dès le premier soir, les jeunes filles de la maison nous ont entraînés dans une chambre, elles nous ont vêtus de djellabas et nous ont appris des pas de danse orientale. C'était tellement inattendu et chaleureux. Le moins bon, c'est quand nous avons essuyé une tempête. Les vagues déferlaient sur le bateau et j'étais bien sûr malade.

Fe : *Comment s'est passé votre retour à la vie scolaire ?*

F.M. : Après avoir manqué la troisième, j'ai obtenu l'autorisation de passer directement en seconde à condition de réviser pendant l'été. Avec beaucoup de travail au premier trimestre, j'ai rattrapé mon retard. Et puis le voyage m'a fait progresser dans certaines matières : l'anglais et le français notamment. En revanche, il est devenu un peu dur de rester sept heures d'affilée en cours, même si ce qu'on apprend à l'école m'intéresse. J'ai plus que jamais envie de voyager et j'aimerais faire mes études à l'étranger.

Fe magazine n° 462, juin/juillet 2006.

Écoutez

6. 3 **Écoutez le document sonore « Destination la Butte » et répondez aux questions.**

a. À quelle rubrique se rapporte ce document ?

☐ Tourisme ☐ Culture ☐ Société

b. Dans quel arrondissement se trouve la Butte ?

☐ 10e ☐ 9e ☐ 19e

c. Comment se nomme la Butte ?

☐ Pergeyre ☐ Bergeyre ☐ Vergeyre

d. De quelle hauteur la Butte domine-t-elle Paris ?

☐ 80 mètres ☐ 90 mètres ☐ 70 mètres

e. Combien de rues forment le quartier ?

☐ 20 ☐ 5 ☐ 15

f. La journaliste évoque plusieurs fleurs. Laquelle n'évoque-t-elle pas ?

☐ jasmin ☐ rosier ☐ lavande ☐ muguet

g. Parmi les curiosités on trouve :

☐ la vigne ☐ une statue récente ☐ une publicité ancienne

Analysez

7. La France dans le monde : recherchez dans le texte page 17 les réponses aux questions suivantes :

a. Complétez la chronologie :

XVIIe siècle : ____________________

XVIIIe siècle : ____________________

1830 : ____________________

Après 1945 : ____________________

b. Distinguez les territoires suivant les zones continentales :

Asie : ____________________

Afrique : ____________________

Amérique du Nord : ____________________

Amérique du Sud : ____________________

Antilles : ____________________

océan Indien : ____________________

océan Pacifique : ____________________

c. Dites si ces territoires appartiennent ou non à ce qu'on appelle les « territoires d'outre-mer » :

	Oui	Non
Québec	☐	☐
Guyane	☐	☐
Laos	☐	☐
Nouvelle-Calédonie	☐	☐
Polynésie	☐	☐
Cambodge	☐	☐
Pondichéry	☐	☐

C'est la tradition !

Vous allez apprendre à :

- ☑ définir une notion
- ☑ faire un récit, décrire un événement
- ☑ maîtriser l'emploi des constructions relatives

Travail avec les pages Interactions

Vocabulaire

• bizutage (n.m.) ______
brimade (n.f.) ______
cabane (n.f.) ______
galette (n.f.) ______
sabot (n.m.) ______
taureau (n.m.) ______
• absurde (adj.) ______
apte (adj.) ______
convivial (adj.) ______
forain (adj.) ______
hippique (adj.) ______
marécageux (adj.) ______
obscène (adj.) ______
• tailler (v.) ______

1. Relisez le test « Êtes-vous toujours dans le coup ? » (p. 18-19 du Livre de l'élève) et vérifiez votre compréhension. Classez les différentes traditions suivant qu'elles appartiennent :

a. à la gastronomie : ______

b. au mode de vie : ______

c. aux fêtes : ______

d. à la culture locale : ______

2. De quoi s'agit-il ? Cherchez dans le texte.

a. Outil des tailleurs de pierre → ______
b. Pour frapper la balle à Bayonne → ______
c. Outil du jardinier → ______
d. Gibier apprécié des chasseurs → ______
e. Alcool de fruit sucré → ______
f. Caviar du pauvre → ______
g. Abri pour les colombes → ______
h. Idéal pour la sieste → ______

3. Formez des expressions.

Mettre – connaître – pratiquer – respecter – transmettre.

a. Tous les ans, Jan participe à la fête des Gilles. Il ______________________ les traditions.

b. L'apprenti ______________________ en pratique ce que l'ouvrier lui a appris.

c. Pour s'adapter dans un pays étranger, il faut en ______________________ les usages.

d. La coutume de la fête des Gayants s'est ______________________ de génération en génération à Douai.

e. Il y a une pagode dans cette ville. Les bouddhistes peuvent y ______________________ leurs rites.

4. Lamentations et recommandations. Complétez les expressions.

Se perdre – mettre en pratique – avoir coutume – respecter – inventer – faire bon usage.

a. Les jeunes ne ______________________ plus rien.

b. Les traditions ______________________.

c. J'espère que tu en ______________________.

d. N'oublie pas de ______________________ ce que tu as appris.

e. La société est en train d' ______________________ de nouveaux rites.

f. Il n' ____________ pas ______________________ d'être en retard.

Travail avec les pages Ressources

Vocabulaire

• cigogne (n.f.) ____________ pelle (n.f.) ____________ seau (n.m.) ____________

1. Interprétez ce qu'ils disent : relisez le tableau de la page 20 puis complétez.

a. Quand le ministre dit croissance nulle, cela ______________________ récession.

b. Ne pas signer l'accord ______________________ choisir la grève plutôt que la négociation.

c. Les manifestations ______________________ le mécontentement populaire.

d. Quand on parle de redéfinition des emplois, ______________________ à suppression.

2. Trouvez le mot générique.

a. taureau → animal

b. berger → ______________________

c. casserole → ______________________

d. muguet → ______________________

e. Scrabble → ______________________

f. antiquaire → ______________________

g. cabane → ______________________

h. aspirateur → ______________________

i. lit → ______________________

j. pistolet → ______________________

C'est à savoir

Les constructions relatives

- Formation des constructions relatives avec ***qui, que, où.***
- ***Dont*** représente un complément de nom mais aussi un complément de verbe introduit par ***de.***
- ***À qui*** (pour les personnes) – ***auquel*** (***à laquelle, auxquels, auxquelles***) représentent un complément de verbe introduit par **à**.
- **Prépositions** (sur, dans, pour) + ***lequel*** (***laquelle, lesquels, lesquelles***) représentent un complément de verbe introduit par une préposition.
- **Groupe prépositionnel de type *près de, autour de, à côté de,*** etc. + ***duquel*** (***de laquelle, desquels, desquelles***) représentent un complément de verbe introduit par ces prépositions.
- ***Ce, quelque chose, quelqu'un*** **+ pronom relatif.**

3. Combinez les phrases suivantes à l'aide des pronoms relatifs de façon à ne faire qu'une seule phrase.

a. L'association reçoit un courrier énorme. Elle répond toujours à ce courrier.

……………………………………………………………………………

b. Ce courrier contient des détails. On ne mesure pas toujours l'importance de ces détails. Il faut être attentif à ces détails.

……………………………………………………………………………

c. Si vous allez dans le Gers, je vous conseille de visiter Mirande. J'y ai découvert un petit restaurant. Dans ce restaurant, on sert un foie gras poêlé. Je vous le recommande.

……………………………………………………………………………

d. Ce soir, je reçois quelques collaborateurs. Je travaille avec ces collaborateurs sur un problème difficile. J'accorde beaucoup d'importance à ce problème. Je vous parlerai bientôt de ce problème.

……………………………………………………………………………

4. Soutenir une cause humanitaire : formulez la phrase différemment.

a. Nous nous pencherons sur ces problèmes.

→ **Cela fait partie des problèmes sur lesquels nous nous pencherons**

b. Il faut se battre pour les causes humanitaires.

→ Ce sont des causes ……………………………………

c. Dans l'article, on dit que les conditions sanitaires se sont beaucoup dégradées.

→ J'ai lu un article ……………………………………

d. Grâce à l'aide importante que nous avons obtenue, nous pourrons mieux organiser les soins.

→ Nous avons obtenu une aide importante ……………………………………

e. La plupart des photos offertes par un grand photographe pour soutenir notre effort sont déjà vendues.

→ Pour soutenir notre effort, un grand photographe nous a offert des photos ……………………………………

5. Tsiganes en danger : complétez avec un pronom relatif.

Les Tsiganes sont un peuple …………………… on connaît très mal les origines …………………… on raconte beaucoup de légendes.

La société postindustrielle …………………… ils ne sont pas préparés fait disparaître beaucoup de métiers …………………… ils ne peuvent survivre.

Ils continuent à vivre en marge d'une société …………………… ils sont suspects et …………………… ils ont de plus en plus de mal à faire respecter leur identité.

6. 4 et 5 **Travaillez vos automatismes.**

a. Confirmez.

• Tu voudrais visiter Nancy ?

– Oui, c'est ce que je voudrais.

• Tu voudrais rencontrer l'auteur ?

– Oui, ______

• Tu souhaiterais l'interviewer ?

– Oui, ______

b. Choisissez.

• Qu'est-ce qui te plairait ? Sortir ou rester à la maison ?

– Ce qui me plairait, c'est sortir / rester à la maison.

• Qu'est-ce que tu voudrais faire ? Aller au cinéma ou aller boire un verre ?

– Ce que je voudrais faire, c'est ______

• Qu'est-ce que tu aimerais ? Travailler tout l'été ou partir en vacances ?

Ce que j'aimerais, c'est ______

• Qu'est-ce que tu souhaiterais faire : voyager ou rester là ?

– Ce que je souhaiterais, c'est ______

Travail avec les pages Projet

Vocabulaire

• ardoise (n.f.) ______
bouclier (n.m.) ______
calomniateur (n.m.) ______
chou rouge (n.m.) ______
clairière (n.f.) ______
embarcation (n.f.) ______
érudit (n.m.) ______
grenouille (n.f.) ______
guirlande (n.f.) ______

lance (n.f.) ______
licencié (n.m.) ______
masure (n.f.) ______
oie (n.f.) ______
pitié (n.f.) ______
point d'orgue (n.m.) ______
prise (n.f.) ______
proie (n.f.) ______
tournoi (n.m.) ______
• attesté (adj.) ______

• bannir (v.) ______
coasser (v.) ______
cracher (v.) ______
déployer (v.) ______
dévorer (v.) ______
emprisonner (v.) ______
excommunier (v.) ______
germer (v.) ______
maudire (v.) ______
• savamment (adv.) ______

Vérifiez votre compréhension

1. Relisez la légende des Demoiselles coiffées. Corrigez les phrases suivantes si c'est nécessaire et remettez-les dans l'ordre de l'histoire.

a. Après avoir beaucoup voyagé, Guillaume rentre chez lui et retrouve la grenouille qui se transforme en jeune fille.

b. La jeune fille se révèle être une sorcière.

c. Un jour, Guillaume sauve une grenouille qu'un loup s'apprêtait à dévorer.

d. Guillaume est transformé en oiseau.

e. Guillaume et sa mère habitent une belle demeure dans la montagne.

f. La jeune fille est métamorphosée en statue de pierre.

g. Guillaume reçoit de la grenouille une belle somme d'argent qu'il va dépenser à la ville.

Ordre : ....

2. Trouvez le sens de ces expressions tirées du vocabulaire du merveilleux et du fantastique : associez.

a. C'est magique !

b. Ce n'est pas sorcier.

c. Il a un appétit d'ogre.

d. Bon, je serai bon prince pour cette fois.

e. Il a craché tout son venin.

1. Je vous pardonne. Je ne ferai pas de difficultés.

2. Il dévore.

3. Il a dit tout le mal qu'il pensait.

4. Je n'y crois pas !

5. Ce n'est pas difficile.

3. Relevez dans le texte « La Saint-Louis et les joutes nautiques de Sète » (p. 24) tous les mots qui font allusion au combat.

....

Parlez

4. Fabriquez des titres de presse qui font allusion au combat : complétez.

Bataille – victoire – duel – lutte – résistance.

a. .... entre la majorité et l'opposition à propos de la loi sur les heures supplémentaires.

b. .... contre l'inflation. Nouvelle mesure du gouvernement.

c. .... de procédures à l'Assemblée nationale. L'opposition fait tout pour retarder le vote.

d. .... du NON au référendum. Le gouvernement mis en échec.

e. .... du gouvernement malgré les grèves qui durent.

Écoutez

5. 6 Écoutez le document sonore « Qui est l'inconnu ? » et dites si les affirmations suivantes sont vraies ou fausses.

	Vrai	Faux
a. Le narrateur passe ses vacances dans un château abandonné.	☐	☐
b. Il reçoit la visite d'une personne étrange.	☐	☐
c. Cette personne étrange loge dans le château.	☐	☐
d. Un matin, le château semble habité par plusieurs personnes.	☐	☐
e. L'inconnu donne des explications au narrateur.	☐	☐
f. Le narrateur est témoin d'une scène de guerre.	☐	☐

Analysez

6. Lisez l'article « Au cœur de l'Abyme » et répondez aux questions.

Au cœur de l'Abyme

Pour admirer les mythiques puits tournants de Fréchencourt, près d'Amiens (Somme), il faut s'engager à pied dans une voie sans issue située en face de l'église, puis s'enfoncer dans les marais sur la droite. Au bout de plusieurs dizaines de mètres sur la gauche, se dévoile une sorte de grande mare. Mais, surprise, l'eau y est d'un bleu-vert transparent. C'est cela un puits tournant. Les marais de Fréchencourt en abriteraient plus de 250 sur 3 ha.

Le plus extraordinaire et le plus envoûtant de tous a été surnommé l'Abyme, il est surplombé d'une falaise de 25 m de haut. Il est profond et large de plusieurs mètres. L'Abyme constituerait une réserve d'eau de près de 200 m^3.

« *D'après la légende, il y a bien longtemps, par une nuit d'orage, un carrosse tiré par six chevaux et ses occupants seraient tombés de la falaise ou falize dans l'Abyme*, raconte Laurent Devime, conteur et marionnettiste picard, qui vit près de là. *Tous auraient été engloutis. Jusque dans les années 1930, l'eau tournoyait. Il y avait un trou au milieu. On disait que c'était la roue du carrosse qui continuait de tourner.* »

Et le conteur de continuer : « *Aujourd'hui l'eau ne tournoie presque plus car le niveau des sources a baissé.* » Une autre légende dit qu'une femme enceinte ou qui vient d'accoucher doit, si elle veut que son enfant ait les yeux bleus, se rendre aux puits tournants. « *La légende n'a pas survécu à la science. L'eau jaillit de la terre par une multitude de sources d'affleurement. Elle apparaît bleue à cause d'un simple effet d'optique ou plus précisément par des phénomènes de réfraction et d'absorption chromatiques sélectives.* »

En hiver, cette eau ne gèle pas. On trouve des puits tournants un peu partout dans le département de la Somme, notamment près de Molliens-Dreuil, de Doullens ou d'Airaines. Ils sont en majorité situés sur des terrains privés. À Corbie, un propriétaire autorise toutefois le grand public à visiter « les fontaines bleues », dont l'histoire est tout autre.

« *Jadis, les jeunes filles allaient y jeter des pièces de monnaie dans l'espoir de se marier, ajoute Laurent Devime. La légende dit que, à cet endroit, une princesse qui aurait trouvé un époux serait revenue sur place en sa compagnie. Tous deux seraient tombés dans l'eau, auraient péri et le voile de la princesse aurait donné sa couleur aux fontaines. Pour d'autres, la couleur viendrait de sainte Colette qui avait perdu son bleu de lessive.* »

Et le conteur de conclure : « *Ces légendes, comme celles qui circulent dans la vallée de l'Hallue, m'impressionnent car les gens y croyaient vraiment.* »

Isabelle Boudanghein

a. Où sont situés les puits tournants ? ____________________

b. À quoi font allusion les trois légendes évoquées dans l'article ?

☐ accident ☐ crime ☐ naissance

☐ phénomène surnaturel ☐ mariage ☐ phénomène climatique

c. Quels sont les éléments de la légende à l'origine :

– du tournoiement de l'eau : ____________________

– de la couleur : ____________________

d. Quelle est l'explication scientifique du phénomène des puits tournants ?

____

7. Dans les deux articles « Noël en Provence, en Allemagne » (p. 25), relevez ce qui appartient aux traditions religieuses et aux traditions profanes.

Traditions religieuses	Traditions profanes

Un problème ?

Vous allez apprendre à :

- ☑ exprimer l'obligation et l'interdiction
- ☑ vous débrouiller en cas de problèmes lors d'un voyage
- ☑ rédiger une lettre de réclamation argumentée

Travail avec les pages Interactions

Vocabulaire

• alcoolémie (n.f.) ____________ • dissuasif (adj.) ____________ préconiser (v.) ____________

résident (n.m.) ____________ • détecter (v.) ____________

1. Vérifiez votre compréhension. Relisez le questionnaire d'enquête (p. 26 du Livre de l'élève) et relevez :

a. les verbes qui marquent l'obligation

Il est impératif de – ____________

b. les adjectifs qui marquent l'appréciation

Limité – ____________

2. Fabriquez des expressions avec les verbes. Associez.

Améliorer – autoriser – généraliser – limiter – réserver.

Pour une meilleure intégration des immigrés, il faut :

a. ____________ le droit de vote aux étrangers.

b. ____________ les conditions de vie dans les quartiers difficiles.

c. ____________ les regroupements familiaux.

d. ____________ des places aux étrangers dans les administrations.

e. ____________ l'extension des banlieues.

3. Trouvez le contraire.

a. obligatoire ≠ ____________

b. sévère ≠ ____________

c. interdit ≠ ____________

d. toléré ≠ ____________

e. limité ≠ ____________

4. À propos de quoi emploie-t-on ces expressions ?

a. Ça roule :
b. Ça bloque :
c. Ça décolle :
d. Ça tombe à l'eau :
e. Ça marche :

1. Le nouveau produit commence à se vendre.
2. L'affaire est conclue.
3. Le projet ne verra pas le jour.
4. La négociation ne se déroule pas bien.
5. Le rendez-vous est confirmé.

5. Commentez : regardez les deux sondages (p. 27) et complétez avec un pronom indéfini.

a. ______________ des gens pensent que les jeunes et les vieux sont dangereux au volant.

b. Si ______________ n'ont pas d'opinion, ______________ sont d'avis contraire.

c. Quand on parle de priorité routière, ______________ sont pour une plus grande limitation des vitesses.

d. ______________ sont pour que l'on bride les moteurs mais à peine ______________ voudraient qu'on multiplie les contrôles sur les routes.

Travail avec les pages Ressources

Vocabulaire

- contraint (adj.) ______________
- heurté (adj.) ______________
- transgresser (v.) ______________
- facultatif (adj.) ______________
- filer (v.) ______________

C'est à savoir

Formes grammaticales de l'obligation

■ **Une personne donne un ordre**
- *Je vous demande de... – Je vous conseille de... donne l'ordre de... ordonne de...*
- L'impératif : *Arrêtez-vous ! Prenez-en !*

■ **Une personne dit qu'on lui a donné un ordre**
Je dois... Je suis obligé(e) de... Je suis contraint(e) de... Je suis tenu(e) de... Avoir à...

■ **Emploi de « on » :** *On doit... On est prié de...*

■ **Emploi d'une forme impersonnelle**
- *Il faut* + infinitif — *Il faut que* + subjonctif
- *Il est* + adjectif + *de* : *Il est nécessaire de... – Il est obligatoire (impératif, conseillé, interdit) de...*
- *Il est* + adjectif + *que* + subjonctif : *Il est impératif que...*

■ Le verbe peut se mettre au conditionnel pour exprimer une nuance de politesse, de distance et pour atténuer l'ordre : *Je vous demanderais de... Il serait nécessaire de...*

■ **La construction « *être* + participe passé »**
L'entrée est interdite. – L'accès nous a été refusé.

✓ **Certains ordres écrits ne comportent pas de verbes.**

1. **Expression de l'obligation. Donnez des ordres qui correspondent aux images des panneaux. Utilisez les formes proposées par le tableau.**

a. DÉFENSE DE PARLER

b. DÉPÔT D'ORDURES INTERDIT

c. Ne pas déranger S.V.P.

d. Prenez un ticket d'appel

e. *Sonnez avant d'entrer*

f. Sens unique

g. Hôpital SILENCE

h. Prière de remplir ce formulaire avec un stylo noir

a. ……………………………………………………………………

b. ……………………………………………………………………

c. ……………………………………………………………………

d. ……………………………………………………………………

e. ……………………………………………………………………

f. ……………………………………………………………………

g. ……………………………………………………………………

h. ……………………………………………………………………

2. **Mise en garde : visite du laboratoire. Complétez avec un verbe de la liste.**

Être tenu à – être obligé de – être prié de – devoir – s'astreindre – être censé – imposer.

Attention, vous …………………… respecter des consignes très précises. Vous …………………… de rester à côté de moi pendant toute la visite. À l'entrée, vous …………………… de revêtir des vêtements de protection. À l'intérieur, vous verrez que les chercheurs …………………… à ne faire aucun bruit. Vous aussi, vous devez vous …………………… un silence absolu. Vous …………………… ne rien toucher et vous …………………… ne pas poser de questions à l'intérieur du laboratoire.

3. **Obliger à… Complétez.**

a. Je tiens à ce que tu (*aller*) …………………… la voir.

b. Il est impératif que je (*savoir*) …………………… ce qu'elle veut.

c. Il faut qu'elle (*faire attention à*) …………………… ce qu'elle dit.

d. Il est nécessaire que vous la (*sortir*) …………………… de là.

e. Ton père ordonne que nous (*agir*) …………………… calmement.

4. **Relevez dans l'article les mots qui se substituent aux mots suivants :**

La France : ……………………………………………………

……………………………………………………

Général de Gaulle : ……………………………………………………

……………………………………………………

En 1958, pour résoudre la crise de régime liée à la guerre d'Algérie que connaît la France, le gouvernement fait appel au général de Gaulle : « seul le plus grand des Français », déclare M. Coty, « peut sauver le pays au bord du gouffre ». De retour au pouvoir, l'illustre résistant décide de changer de Constitution et de République. L'inflexible général obtient alors les pleins pouvoirs. Nouveau président de la République, il entreprend une série de réformes audacieuses qui vont profondément changer la vieille nation.

5. 7 et 8 **Travaillez vos automatismes.**

a. Tu as fini ton travail ?

– Oui, je l'ai fini.

• Tu as pris ta douche ?

– ______

• Tu as regardé tes courriels ?

– ______

• Tu as fait la vaisselle ?

– ______

• Tu as mis les pâtes dans l'eau ?

– ______

b. Ne va pas à Paris.

– N'y va pas.

• Ne pense plus à elle.

– ______

• Ne passez pas chez lui.

– ______

• Ne retourne pas en Normandie.

– ______

Travail avec les pages Simulation

Vocabulaire

• agglomération (n.f.) ______
aire (n.f.) ______
amortisseur (n.m.) ______
clignotant (n.m.) ______
compteur (n.m.) ______
devise (n.f.) ______
dragage (n.m.) ______
étui (n.m.) ______
extrait (n.m.) ______
gilet (n.m.) ______
préjudice (n.m.) ______
prestation (n.f.) ______
vaccination (n.f.) ______
validité (n.f.) ______
• catastrophique (adj.) ______
crispé (adj.) ______
gâché (adj.) ______
indigné (adj.) ______
jalonné (adj.) ______
• délivrer (v.) ______
déraper (v.) ______
garer (se)(v.) ______

Vérifiez votre compréhension

1. Relisez le sketch « Les automobilistes » (p. 31).

a. Retrouvez les expressions de l'obligation introduites par « il faut ».

______

b. Retrouvez les conseils exprimés avec « être ».

______

c. Retrouvez les expressions liées à la conduite.

______

Parlez

2. 9 **Exprimez l'obligation : transformez.**

• Lis ce livre, tu aimeras.

Il faut que tu lises ce livre.

• Vois ce film, il est passionnant.

• Écoute ce disque, il est très bon.

• Va voir cette exposition, elle est spectaculaire.

• Regarde cette émission, elle est très instructive.

3. 10 **Un monde d'interdits... Exprimez l'interdiction.**

• Il ne faut pas fumer.

(interdit) **Il est interdit de fumer.**

• Il ne faut pas parler.

(défendu)

• Il ne faut pas exercer la médecine.

(illégal)

• Il ne faut pas détenir d'armes.

(prohibé)

• Il ne faut pas entrer dans le parc.

(défendu)

4. Exprimer la satisfaction : répondez.

a. L'appartement vous convient ?

(s'en contenter) **– Oui, je m'en contente.**

b. L'aménagement vous convient ?

(plaire) –

c. L'ameublement vous convient ?

(ne pas en demander davantage) –

d. La situation vous convient ?

(s'en satisfaire) –

e. La vue vous convient ?

(être ravi) –

5. Exprimez l'insatisfaction : répondez.

a. Le repas vous a satisfait ?

(plaire) **– Non, il ne m'a pas plu.**

b. Le spectacle vous a plu ?

(décevoir) –

c. La visite que vous avez faite vous a plu ?

(regretter) – ______

d. L'installation de l'exposition vous convient ?

(convenir) – ______

e. L'entretien du jardin vous convient ?

(laisser à désirer) – ______

Écoutez

6. 11 **Écoutez le document sonore « Tourismes et Voyages » et répondez aux questions.**

a. Vous venez d'entendre :

☐ un compte rendu sportif ☐ un message publicitaire ☐ un reportage radio

b. À quel événement parisien le document fait-il allusion ?

______

c. Vrai ou faux ? Le document parle :

	Vrai	Faux
(1) du tourisme traditionnel	☐	☐
(2) de nouvelles formes de voyages touristiques	☐	☐
(3) d'une nouvelle manière de vendre les voyages touristiques	☐	☐
(4) du lien entre tourisme et développement	☐	☐

d. Mettez en relation les éléments correspondants :

- La formule du voyage en groupe
- Le tourisme solidaire et citoyen

☐ n'a plus la faveur des clients.
☐ reste très demandée.
☐ se développe.
☐ offre la possibilité de créer des liens entre touristes et habitants du pays.
☐ met l'accent sur l'art de combiner loisir et solidarité.

e. Relevez le contenu des propositions.

	Alliances Tours	Solidarit'Air
Type de voyage		
Où ?		
Durée		
Activités		

f. Réécoutez le document et notez les mots qui permettent d'introduire :

(1) une succession d'idées ou d'arguments : ______

(2) un argument plus important que les autres : ______

(3) une idée opposée ou une réserve : ______

Analysez

7. Lisez puis répondez aux questions.

INSOLITE

Ils voulaient voir Rhodes, ils ont vu Rodez

Trois touristes norvégiens qui avaient réservé un séjour sur l'île grecque de Rhodes ont eu la désagréable surprise d'atterrir, lundi, sur l'aéroport de Rodez, au cœur de l'Aveyron.

En réservant sur Internet, ces trois touristes, deux femmes, Bente et Marit, accompagnées de Knut, mari de l'une d'elles, avaient commis une erreur d'orthographe en réservant leur voyage, confondant le « s » de Rhodes avec le « z » de Rodez, l'ordinateur et la compagnie aérienne Ryanair ayant d'eux-mêmes, ensuite, ôté le « h » de l'île de Rhodes avant de valider cette réservation.

« *Nous avons été alertés de cette bourde à l'arrivée de ces trois touristes à l'aéroport et avons tenté de rendre leur séjour agréable avant qu'ils ne décident de repartir en Norvège via Toulouse* », a expliqué Florence Taillefer, directrice de l'office de tourisme de Rodez.

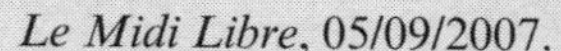

Le Midi Libre, 05/09/2007.

a. Expliquez brièvement l'information donnée dans le titre de l'article.

b. De quel pays viennent les trois touristes ?

c. Qu'est-ce qui différencie Rhodes et Rodez ?

- orthographiquement :
- géographiquement :

d. Comment a réagi l'office de tourisme de Rodez ?

e. Qu'est-ce qu'ont en commun ces villes : Montréal / Paris / Francfort ?

Attention fragile !

Vous allez apprendre à :

- ☑ vous situer dans le futur et maîtriser les temps du futur
- ☑ exprimer vos souhaits, espoirs et rêves
- ☑ reformuler des informations écrites

Travail avec les pages Interactions

Vocabulaire

• arrêté (n.m.) ____________

chardon bleu (n.m.) ____________

conteneur (n.m.) ____________

décret (n.m.) ____________

gaillard (n.m.) ____________

• aseptisé (adj.) ____________

• braquer (v.) ____________

foutre (v.) ____________

piétiner (v.) ____________

prendre la pose (loc. verbale) ____________

1. Relisez l'article sur les parcs régionaux (p. 34 du Livre de l'élève).

a. Développez les idées suivantes :

• Le comportement des animaux sauvages dans les parcs régionaux a changé.

____

• Le comportement des touristes a changé.

____

• Il est difficile de faire appliquer les lois de protection de l'environnement.

____

b. Quels sont les dispositifs qui protègent les différentes espèces ? À quoi servent-ils ?

(1) **Les gardes moniteurs :** ____________

(2) ____________

c. Notez les passages qui marquent l'exaspération de l'auteur

____

2. Écologie : donnez le substantif et formez l'expression.

a. Sauver → **le sauvetage** de la faune et de la flore

b. Punir → ____________ par la loi

c. Appliquer → ____________ des textes

d. Protéger → ____________ des espèces

e. Disparaître → ____________ de variétés rares

f. Prescrire → ____________ d'une mesure

3. Caractérisez avec un adjectif.

Accablant – autoritaire – inquiétant – irréfléchi – sauvage.

a. Cette commune connaît une urbanisation ______________ . On construit n'importe où.

b. Le journal local a publié des articles ______________ sur la dégradation du paysage.

c. L'administration a fait un rapport ______________ sur cette situation.

d. Le préfet menace de prendre des mesures ______________ .

e. Tout cela est dû à la politique ______________ de la précédente municipalité.

4. Trouvez un synonyme.

Diriger – être dangereux pour – laisser tranquille – modifier – saccager.

a. Piller la planète → ______________

b. Menacer l'équilibre → ______________

c. Changer le comportement → ______________

d. Foutre la paix → ______________

e. Braquer sa caméra → ______________

5. Donnez le sens de ces expressions imagées en utilisant les mots suivants :

Dangereux – déranger – dynamique – réutiliser – s'améliorer.

a. Leurs relations se sont réchauffées. → ______________

b. Ôte-toi de là, tu pollues ma vue ! → ______________

c. Encore une conférence qu'il a recyclée. → ______________

d. Elle déborde d'énergie, une vraie pile ! → ______________

e. Notre banque détient beaucoup d'actions toxiques. → ______________

Travail avec les pages Ressources

Vocabulaire

- altérer (v.) ______________
- amender (s') (v.) ______________
- bonifier (se) (v.) ______________
- détraquer (v.) ______________
- endommager (v.) ______________

1. Information de vol : complétez.

Ici votre commandant de bord. Mon équipage et moi-même sommes heureux de vous accueillir à bord de cet Airbus 319 de la Compagnie Transavia. Le temps de vol aujourd'hui (*être*) ______________ de deux heures. Nous (*survoler*) ______________ successivement les villes de Nevers, Genève puis nous (*longer*) ______________ la côte italienne à partir de Gênes jusqu'à Rome avant de nous diriger vers Palerme. Nous (*atteindre*) ______________ Palerme avant 11 h. Je vous souhaite, mesdames et messieurs, un agréable voyage avec Transavia.

2. Conflit : complétez en utilisant les différents temps du futur.

a. Dans cinq ans, tu (*finir*) ________________ tes études. Tu (*être*) ________________ indépendant et tu (*quitter*) ________________ la maison. Tu (*faire*) ________________ ce que tu (*vouloir*) ________________.
Mais pour le moment, c'est moi qui paie. Alors tu (*ne pas aller*) ________________ à ce concert de rock et tu (*préparer*) ________________ tes examens qui sont dans deux mois.

b. Dépêche-toi ! Nous allons être en retard. Quand nous arriverons, le spectacle (*commencer*) ________________ et nous ne (*pouvoir*) ________________ pas entrer. Si nous (*courir*) ________________ un peu, nous (*arriver*) ________________ à temps.

c. Bientôt l'été... Au mois d'août, nous serons en Corse. J'espère qu'en juin je (*réussir*) ________________ à mon examen et que je (*ne pas avoir*) ________________ à faire de révisions. J'(*acheter*) ________________ une planche et je (*faire*) ________________ du surf.

3. Perspectives... Complétez avec les mots suivants :

D'ores et déjà – dans – d'ici à – jusqu'à.

________________ quelques années, les voitures fonctionneront à l'hydrogène.
Toutefois, ________________ présent, les moteurs à hydrogène ne sont pas produits industriellement.
Mais, ________________, certaines marques proposent un type de modèles mixtes électricité/essence.
Ce qui est sûr, c'est que ________________ vingt ans, les automobiles à essence auront disparu.

4. Organisez les éléments proposés.

a. Dès que je / recevoir le client / vous appeler.
____

b. Tant qu'il / présenter ses excuses / ne pas aller le voir.
____

c. Quand je / finir de se préparer / passer te chercher.
____

d. Aussitôt que vous / le retrouver / me prévenir.
____

e. Une fois que tu / dire oui / être trop tard.
____

5. Dites s'il s'agit d'un espoir, d'un rêve ou d'un souhait.

a. Tu crois qu'il viendra nous attendre à l'aéroport ?
→ ____

b. Je saurai dans une semaine si j'ai réussi.
→ ____

c. Je partirais bien demain pour une semaine de vacances.
→ ____

d. Dimanche, je ferais bien une partie de tennis avec toi.
→ ____

e. Ils partiraient à l'étranger, ils loueraient une maison au bord de la mer, ils achèteraient des vêtements de grande marque.
→ ____

6. 12 **Travaillez vos automatismes : exprimez un espoir ou un souhait comme dans l'exemple.**

- Tu pourras venir ? Tu le souhaites ?

– **Oui, je souhaite pouvoir venir.**

- Et Morgane, elle viendra ? Tu en as envie ?

– ______________________________

- Tu voudrais lui parler ? Tu en rêves ?

– ______________________________

- Tu aimerais qu'elle fasse plus attention à toi ? Tu l'espères ?

– ______________________________

- Tu voudrais la séduire ? Tu en as l'ambition ?

– ______________________________

Travail avec les pages Projet

Vocabulaire

• crue (n.f.)	______	• accru (adj.)	______	jouxter (v.)	______
panier (n.m.)	______	amphibie (adj.)	______	rétracter (se) (v.)	______
ponton (n.m.)	______	goguenard (adj.)	______	• inexorablement (adv.)	______
talus (n.m.)	______	• coulisser (v.)	______		

Vérifiez votre compréhension

1. Montpellier, le nouveau quartier de Port Marianne. Relisez le texte et cherchez si ces affirmations sont vraies ou fausses.

	Vrai	Faux
a. Le Lez est un fleuve côtier qui relie la ville à la mer.	☐	☐
b. Le nouveau quartier de Port Marianne a été construit entre 1982 et 1992.	☐	☐
c. Le quartier d'Antigone est le deuxième centre ville de Montpellier.	☐	☐
d. Grâce au tramway, Port Marianne est à quelques minutes de la Place de la Comédie.	☐	☐
e. L'Odysseum est à la fois un centre de loisirs et un centre commercial.	☐	☐
f. C'est l'architecte Jean Nouvel qui a construit ce nouveau quartier.	☐	☐
g. Parc Marianne est un espace qui met les habitants en contact avec la nature.	☐	☐
h. Port Marianne jouera un rôle stratégique dans l'avenir de Montpellier.	☐	☐

Parlez

2. Un trait de personnalité. Formez une expression avec un nom de matériau et trouvez le trait de personnalité correspondant.

Matériaux : bois – pierre – fer – acier – or.

Traits de personnalité : autorité – générosité – hypocrisie – insensibilité – opiniâtreté – sang-froid.

a. Une volonté de .... → ....

b. Un cœur de .... → ....

c. La langue de .... → ....

d. Des nerfs .... → ....

e. Un cœur d' .... → ....

f. Une main de .... → ....

3. Décrire des personnes ou des relations entre des personnes. Associez sens et expression.

a. C'est une vraie pile électrique.

b. Il y a de l'électricité dans l'air.

c. Ils sont en froid depuis une semaine.

d. Il y a de l'eau dans le gaz.

e. Il a de l'énergie à revendre.

f. Il se noie dans un verre d'eau.

g. Il suit le sens du vent.

1. Leur relation est sous tension.

2. À la première difficulté, il est perdu.

3. Il est très réactif.

4. Il est opportuniste.

5. Ça ne va pas entre eux.

6. Il est toujours disponible pour faire quelque chose.

7. Ils ne se parlent plus.

4. À qui peuvent s'appliquer les expressions suivantes ?

Le négociateur – le policier malhonnête – le philosophe opportuniste – le meurtrier – le militant déçu.

a. Il l'a refroidi. → ....

b. C'est une machine à recycler les idées des autres. → ....

c. Ils se sont fait récupérer. → ....

d. Il souffle le chaud et le froid. → ....

e. C'est une ordure ! → ....

Écoutez

5. 13 Écoutez le document sonore « Météo » et répondez aux questions.

a. S'agit-il de:

☐ un bulletin d'information ☐ un bulletin météo ☐ un communiqué du ministère de la Santé

b. Cette information est diffusée :

☐ au printemps ☐ au début de l'été ☐ pendant les vacances d'été

c. Les températures vont :

☐ baisser ☐ monter ☐ rester stables

d. Cela concerne :

☐ certaines régions ☐ le sud de la France ☐ toute la France

e. Pour cette époque de l'année, les températures sont :

☐ habituelles ☐ inhabituelles ☐ on ne sait pas

f. Indiquez les températures des villes suivantes :

Strasbourg : ______ Toulouse : ______ Lille : ______

g. Dans quelle ville fera-t-il le plus chaud ? ______

h. Les conseils concernent :

☐ les gens qui travaillent ☐ la circulation ☐ les personnes âgées

i. Quels types de services peuvent être contactés ?

☐ assistance médicale ☐ assistance routière ☐ assistance sociale

j. Notez deux numéros :

SAMU : ______ Pompiers : ______

Analysez

6. Lisez l'article « De nouvelles relations entre producteurs et acheteurs » (p. 40) et dites sur quoi sont fondées ces nouvelles relations : aidez-vous de la fiche ci-dessous.

a. Modalités de l'échange : ______

b. Type de marchandise fournie (quantité) : ______

c. Nature de la marchandise fournie (qualité) : ______

d. Intérêt pour le consommateur : ______

e. Intérêt pour le producteur : ______

7. Lisez maintenant les informations sur la protection du consommateur (p. 41) et répondez en remplissant la fiche.

a. Nom de l'organisme d'État qui s'occupe de la protection du consommateur : ______

b. Nom des revues qui informent le consommateur : ______

c. Domaines concernés par les réclamations du consommateur : ______

d. Délais laissés à un consommateur pour renoncer à un achat : ______

• Compréhension de l'oral

Reportez-vous aux activités des leçons 1 à 4 : « Écoutez le document sonore. »

Page 10, exercice 6 : « Destination la butte » – Page 15, exercice 5 : « Qui est l'inconnu ? » – Page 22, exercice 6 : « Tourismes et voyages » – Page 28, exercice 5 : « Météo ».

• Compréhension des écrits

Objectif : lire pour s'orienter.

Lisez le texte et répondez aux questions.

tourisme

48 heures... à Nice

De la vieille ville au port, en passant par la promenade des Anglais, notre reporter nous fait partager tout ce qui fait le charme de cette ville.

Vendredi

16 h Sur la place Masséna, les passants ne semblent pas pressés. Vous êtes ici au cœur de la ville. Traversez le jardin Albert Ier, l'un des plus anciens de la cité, avec ses roses et ses palmiers, et dirigez-vous vers le bord de la mer.

16h20 Devant vous, la promenade des Anglais s'étale sur six kilomètres. Tel un phare se dresse le Negresco, palace à l'architecture Belle Époque, classé Monument historique. Sans quitter la mer des yeux, promenez-vous en direction de Rauba Capeu, en longeant le Vieux-Nice et le majestueux opéra, pour admirer la plus belle vue sur la baie des Anges.

17h30 Petit à petit, le vieux port se dévoile. Le long du quai Lunel, on s'attarde au Village Ségurane, le marché aux puces. La balade continue autour des quais. Sur celui des Deux-Emmanuel, la terrasse du Ma Nolan's offre un cadre cosy pour prendre l'apéritif au bord de l'eau.

Samedi

10 h Sur la place animée du cours Saleya, dans le Vieux-Nice, impossible de ne pas faire une halte dans les traditionnels marchés aux fleurs et aux fruits et légumes (le matin seulement). Vous serez enchantés par les produits locaux : olives, tomates, herbes, courgettes en fleur, fromages du pays. Un ravissement pour les gourmands.

10h30 Partez flâner dans les rues étroites du Vieux-Nice. À ne pas manquer : le chocolat de la Maison Auer... Ah ! le chocolat aux amandes cacaotées !

12h30 Poussez jusqu'à la rue Pairolière pour déguster une cuisine niçoise traditionnelle à L'Escalinada où vous profiterez aussi de la terrasse.

14 h Sortez de la vieille ville côté mer et montez jusqu'à la colline du Château. Ce vaste espace de verdure ombragé offre des panoramas remarquables sur toute la baie.

16 h Pour descendre, dirigez-vous vers la place Garibaldi. Du boulevard Jean-Jaurès, prenez le tram vers le centre-ville. Des œuvres d'art contemporain jalonnent le parcours... toutes sont des créations d'artistes de renommée internationale.

20 h Retournez dans le Vieux-Nice et soupez à la terrasse d'un des nombreux restaurants du cours Saleya pour goûter à l'un de ses aïolis et bouillabaisses.

22 h Vous avez le choix : rendez-vous aux Marches (cocktails) ou au Shapko Bar pour son atmosphère feutrée et jazzy.

Dimanche

9h30 Le boulevard de Cimiez, situé sur une colline, est l'une des merveilles architecturales de Nice, avec ses maisons splendides et ses palaces Belle Époque, anciens lieux de résidence de l'aristocratie russe et anglaise.

1. Le document a été rédigé pour :

☐ **a.** faire de la publicité sur un séjour au bord de la mer
☐ **b.** faire connaître et partager des impressions sur la ville de Nice
☐ **c.** critiquer les bars et les établissements de la ville de Nice
☐ **d.** donner des informations sur l'histoire de la ville de Nice

2. Où est située la ville de Nice ?

☐ **a.** au bord de la mer
☐ **b.** sur une colline
☐ **c.** à l'intérieur des terres

Justifiez : ______________________________

3. À quoi correspondent ces lieux ?

a. La place Masséna : ______________________________
b. Le Negresco : ______________________________
c. Le Village Ségurane : ______________________________
d. La colline du Château : ______________________________
e. La promenade des Anglais : ______________________________

4. Que trouve-t-on :

a. cours Saleya : ______________________________
b. boulevard Jean-Jaurès : ______________________________
c. boulevard de Cimiez : ______________________________

5. Notez les expressions de l'article qui :

a. permettent de donner une instruction : ______________________________
b. forment une proposition : ______________________________
c. sont une invitation : ______________________________
d. marquent l'obligation : ______________________________

6. Retrouvez les caractérisations de chacun de ces lieux :

a. la terrasse du Ma Nolan's : ______________________________
b. la Maison Auer : ______________________________
c. les Marches : ______________________________
d. Shapko Bar : ______________________________

• Production écrite

Vous faites un beau voyage : vous écrivez à un ami ou à une amie pour lui raconter ce que vous êtes en train de vivre.

• Production orale

Vous avez loué par Internet un studio pour votre stage professionnel en France. Quand vous voyez le studio, vous constatez qu'il ne correspond pas à la description. Vous vous étonnez et vous expliquez à l'agence ce qui ne vous convient pas : localisation, état général, aménagement, prestations de la résidence...

Unité 2

Leçon 5

Beau parcours

Vous allez apprendre à :

- ☑ exprimer la postériorité, l'antériorité et la simultanéité
- ☑ raconter un parcours professionnel
- ☑ rédiger une lettre de motivation

Travail avec les pages Interactions

Vocabulaire

- • accrocheur (n.m.) ....
- blouse (n.f.) ....
- cornette (n.f.) ....
- exil (n.m.) ....
- trajectoire (n.f.) ....
- • acrobatique (adj.) ....
- bosseur (adj.) ....
- échaudé (adj.) ....
- propice (adj.) ....
- sécurisé (adj.) ....
- • conférer (v.) ....
- décréter (v.) ....
- lancer (se) (v.) ....

1. Vérifiez votre compréhension (p. 50 du Livre de l'élève).
a. Associez ces noms de lieu à la carrière de Nora.

- Cité HLM → **naissance et enfance**
- École catholique → ....
- Centre aéré → ....
- Algérie → ....
- Dijon → ....
- Université de Floride → ....
- San Francisco → ....
- Nora Communication → ....
- Guide *Égalité femmes/hommes en entreprise* → ....

b. Dites si ces affirmations concernant le parcours de Nora Barsali sont vraies ou fausses.

	Vrai	Faux
1. Nora Barsali n'a pas connu le ghetto des cités HLM.	☐	☐
2. Nora a été scolarisée dans une école publique.	☐	☐
3. Ses parents ont décidé de retourner vivre en Algérie.	☐	☐
4. Pour payer ses études universitaires, Nora est obligée de travailler.	☐	☐
5. Nora étudie les sciences politiques dans une université américaine de Floride.	☐	☐
6. Nora a créé son entreprise de communication en 2003.	☐	☐
7. Nora a été conseillère dans deux cabinets ministériels.	☐	☐

2. Trouvez des expressions équivalentes à ces expressions employées dans les témoignages de la page 50 du Livre de l'élève.

a. Ne pas connaître de ghetto → ....

b. Décrocher une bourse → ....

c. Arracher son droit à l'égalité → ....

d. Se faire une place au soleil → ....

e. Se lancer dans l'édition → ....

3. Vie de l'entreprise : voici le verbe, formez l'expression familière correspondante.

Cravacher – virer – cartonner – bosser – couler.

a. *Travailler* – En ce moment je .... dix heures par jour.

b. *Licencier* – Ils m'ont .... comme un malpropre.

c. *Faire faillite* – Avec le management catastrophique qu'il y avait, la boîte a ....

d. *Travailler dur* – Pour réussir, j'ai dû beaucoup ....

e. *Connaître un gros succès* – Avec ce nouveau produit, on va ....

4. Dans quelle situation se trouvent les personnes suivantes quand elles disent :

a. Je dois faire un stage de quatre mois dans une entreprise pour mon master 2.

→ **En formation.**

b. Il y a eu un licenciement j'étais la dernière arrivée.

→ ....

c. C'est dément, je suis crevé, je n'arrête pas de travailler.

→ ....

d. L' agence d'intérim me propose régulièrement des remplacements ; ça va.

→ ....

e. J'ai envoyé cinquante CV, j'ai mis mon profil sur Internet, rien, pas une offre.

→ ....

5. Dites-le autrement.

a. J'ai plutôt l'esprit d'analyse.

→ **Je regarde les choses dans le détail.**

b. Je n'aime pas la routine.

→ ....

c. J'ai toujours envie de me battre.

→ ....

d. Les situations difficiles ne me font pas peur.

→ ....

e. J'ai dû arracher ce contrat.

→ ....

Travail avec les pages Ressources

Vocabulaire

• boulot (n.m.) ______ • sabbatique (adj.) ______ • démissionner (v.) ______

1. États d'âme : exprimez la conséquence au présent.

a. Il ne l'a pas regardée : elle **est vexée**.

b. Il l'a blessée : elle ______.

c. Elle a pleuré : il ______.

d. Elle l'a offensé : il ______.

e. Il l'a menacée : elle ______.

2. Négociations : comment ça s'est passé ? Complétez avec les verbes du tableau page 52.

Alors comment ça s'est passé ?

a. Les négociations ______ toute la nuit.

b. Elles ______ le lendemain matin.

c. Elles ______ toute la journée.

d. La rédaction de l'accord n'______ que dans la soirée et ______ vers 2 h du matin.

e. La séance de signature ______ dans le bureau du directeur.

C'est à savoir

Succession et durée des événements passés

- **Pour préciser la durée d'un événement passé**
  – Par rapport au moment présent : ***depuis*** ; ***il y a*** ; ***ça fait*** ; ***voilà***.
  – Par rapport à un moment passé : ***il y avait*** ; ***ça faisait*** ; ***depuis***.
  – Sans point de repère : ***pendant***.
- **Pour exprimer l'antériorité**
  avant de **+ infinitif** ; ***avant que*** **+ subjonctif**.
- **Pour exprimer la postériorité**
  après **+ infinitif passé** ; ***après que*** **+ indicatif** (mais on entend souvent le subjonctif).
- **Pour exprimer la simultanéité**
  – Deux actions ponctuelles : ***quand*** (***lorsque, au moment où, l'année où***).
  – Deux actions progressives : ***au fur et à mesure que***.
  – Deux actions de durée différente : ***quand*** (***alors que***).
  – Deux actions identiques : ***en même temps***.

3. Reliez les deux phrases avec l'expression entre parenthèses.

a. Elle est allée au cinéma. Elle s'est promenée. (*après*)

Elle s'est promenée après être allée au cinéma.

b. Il a plu. Elle est rentrée. (*au moment où*)

____

c. Elle a téléphoné. Il allait être trop tard. (*avant que*)

____

d. Elle lisait. L'orage a éclaté. (*alors que*)

____

e. Elle a fini son livre. Elle s'est couchée. (*après que*)

____

4. Précisez la durée : complétez.

a. Sonia travaille depuis cinq ans chez Danone Italie. ______________ un an, elle a été nommée assistante de direction.

b. Pierre a quitté New York ______________ deux ans. ______________ deux ans qu'il cherche un emploi.

c. Ludovic a terminé sa thèse. ______________ six mois qu'il annonçait qu'elle était presque terminée.

d. ______________ un an que Marie est en congé de maladie. Je l'ai remplacée ______________ toute cette année.

Travail avec les pages Simulation

Vocabulaire

- adaptabilité (n.f.) ______________

disponibilité (n.f.) ______________

persévérance (n.f.) ______________

recrutement (n.m.) ______________

stabilité (n.f.) ______________

- graphologique (adj. ______________

- dépasser (v.) ______________

surveiller (v.) ______________

Vérifiez votre compréhension

1. Lisez les trois offres d'emploi page 54 et retrouvez les informations suivantes :

	Type d'activité	Définition de l'emploi	Description de l'activité	Qualités attendues
Offre 1				
Offre 2				
Offre 3				

2. Faire / Ne pas faire : relisez les conseils aux demandeurs d'emploi page 57 et relevez ce qu'il faut...

	Faire	Ne pas faire
CV	bon grammaire, listes tes compétences, outils, expériences	pas trop longue
Lettre de motivation	bon grammaire, intérêt/compétence bon images sociales	
Entretien d'embauche	bon grammaire, normes de l'entreprise, arrivé tôt	ne pas être trop longue, ne parler de salaire qu'à fin de l'entretien

Parlez

3. 14 **Donnez des conseils.**

- Être attentif à l'écriture de son CV → **Soyez attentif à l'écriture de votre CV.**
- Ne pas être en retard au rendez-vous → ____________________
- Être clair → ____________________
- Être concret → ____________________
- Ne pas être trop long → ____________________

4. Quels défauts ou qualités traduisent ces affirmations ? Utilisez les expressions ci-dessous.

Avoir l'esprit d'équipe – avoir le sens de l'organisation – être à l'écoute – être créatif – être persévérant.

a. Elle ne supporte pas le désordre.

→ **Elle a le sens de l'organisation.**

b. Elle a toujours une proposition d'avance.

→ ____________________

c. Il est très attentif à l'état d'esprit de chacun.

→ ____________________

d. Un problème ? Elle réunit l'équipe.

→ ____________________

e. Elle ne lâche jamais rien.

→ ____________________

5. Dites-le autrement.

a. Vous serez chargé de préparer la réunion.

→ **Vous serez responsable de la préparation de la réunion.**

b. Vous êtes prêt à vous investir.

→ ____________________

c. Vous serez chargé de prospecter de nouveaux marchés.

→ ____________________

d. Vous aurez pour mission d'établir de nouveaux types de contrats.

→ ____________________

e. Vous serez apte à traiter des données délicates.

→ ____________________

Écoutez

6. 15 Écoutez le document sonore « La vitrine de l'emploi » et répondez aux questions.

a. Vous venez d'entendre :
☐ un reportage ☐ une interview ☐ une annonce

b. Universitas est une entreprise du secteur...
☐ culturel ☐ éducatif public ☐ éducatif privé

c. Cochez les éléments qui correspondent à la société Universitas.
☐ des emplois du temps souples
☐ des contrats seulement à plein temps
☐ un travail bien rémunéré
☐ une formation réservée à l'université
☐ un travail proche de son domicile

d. Vrai ou faux ?
Pour travailler à Universitas, il faut :

	Vrai	Faux
– avoir déjà enseigné à l'université	☐	☐
– avoir une grande capacité d'écoute	☐	☐
– avoir au moins trois ans d'expérience	☐	☐
– être très patient	☐	☐
– être disponible pour se déplacer loin de chez soi	☐	☐

e. Quelles sont les qualités demandées à ses enseignants par Universitas ?

f. Quels sont les documents exigés par Universitas pour présenter sa candidature ?

g. Comment peut-on contacter Universitas ?
1.
2.
3.

h. Quel est le numéro de téléphone d'Universitas ?

Analysez

7. Voici deux offres d'emploi : quelles phrases correspondent au profil de chacune des offres ?

1.

Attaché(e) commercial

Vous connaissez bien le secteur de l'électronique industrielle. Vous aurez en charge de développer la clientèle actuelle et d'explorer de nouveaux marchés. Doté(e) d'un vrai sens commercial, vous saurez persuader vos interlocuteurs. Rigoureux(se), organisé(e), dynamique, vous êtes prêt(e) à mettre toute votre énergie dans un environnement soumis à de constantes évolutions.

Vous parlez parfaitement l'anglais et le français et vous avez de bonnes notions d'allemand. Enfin, les environnements informatiques vous sont familiers.

Adressez lettre de candidature, CV et prétentions à...

2.

Adjoint(e) au DRH

En étroite collaboration avec le DRH, vous serez chargé(e) des rapports avec les cadres. Vous aurez à évaluer leur potentiel, à rédiger des propositions d'évaluation de carrière, à concevoir des méthodes de gestion de carrière et des plans de formation.
Diplômé(e) en gestion des relations humaines, vous aurez au moins cinq ans d'expérience. Doué(e) d'un réel sens de la négociation, vous serez capable de gérer des cas difficiles.

a. Je n'ai pas peur des situations difficiles.
b. J'ai passé trois ans aux États-Unis.
c. Je n'ai pas peur de la compétition.
d. J'ai un master de gestion.
e. J'ai plutôt l'esprit d'analyse.
f. J'ai travaillé cinq ans dans une entreprise d'électronique spécialisée à l'export.
g. J'ai une bonne connaissance des relations diplomatiques.
h. J'ai travaillé au montage d'un plan de formation.
i. J'aime voyager.
j. Ce sont les facteurs humains qui m'intéressent.

Offre 1	Offre 2	Aucune des deux offres

8. Lisez l'article consacré à Bolhem Bouchiba et classez les informations.

Bolhem Bouchiba, animateur (studio Pixar)

Un simple CAP en poche, il a conquis Hollywood

En traversant l'Atlantique, ce spécialiste des gros plans, qui sont les scènes les plus difficiles en dessin animé, a troqué le crayon pour la souris. En 2002, quand il a été embauché par le studio californien Pixar sur envoi d'une simple cassette, Bolhem Bouchiba n'avait pourtant jamais touché un ordinateur de sa vie ! Six mois plus tard, la 3D n'avait plus de secret pour lui. Et, au final, il a animé 38 scènes du dernier blockbuster maison, « Les Indestructibles ». La plus délicate ? Celle où l'héroïne Helen apprend que son mari Bob s'est fait virer de son boulot et lui ment depuis un mois. En quelques dixièmes de seconde, il fallait que son visage se décompose... Titulaire d'un simple CAP de menuisier, Bolhem Bouchiba a découvert la bande dessinée au Festival d'Angoulême, sa ville natale. Il s'est ensuite formé sur le tas. D'abord auprès des producteurs français de séries animées pour la télévision. Puis au sein du prestigieux studio Disney de Montreuil, à l'est de Paris, aujourd'hui fermé. Entré en 1989, ce virtuose du dessin, qui écumait le Louvre pour perfectionner sa technique, s'est vite imposé comme une pointure mondiale de la mise en scène des personnages, notamment dans « Le Bossu de Notre-Dame », « Hercule » et « Tarzan ». « Notre culture artistique est un gros atout face aux Américains, surtout formés à l'informatique », dit-il, avouant son admiration pour les peintres Corot et Sisley. CM

Capital, juin 2005.

a. Formation professionnelle : ……………………

b. Formation au dessin : ……………………

c. Parcours professionnel en tant qu'animateur de dessins animés : ……………………

……………………

d. Principaux films d'animation auxquels il a participé : ……………………

……………………

Comment on s'organise ?

Vous allez apprendre à :

- ☑ exprimer la concession et la restriction
- ☑ rapporter des paroles et des pensées

Travail avec les pages Interactions

Vocabulaire

- charte (n.f.) ____
crèche (n.f.) ____
hiérarchie (n.f.) ____
mentalité (n.f.) ____
parentalité (n.f.) ____
profit (n.m.) ____
- équivalent (adj.) ____

1. Vérifiez votre compréhension.
a. Retrouvez dans le forum (p. 58 du Livre de l'élève) le message qui a trait à chacun des problèmes suivants. Notez la phrase qui résume cette problématique.

- Discrimination : ____
- Confidentialité : ____
- Rapport vie privée/vie professionnelle : ____
- Stratégie sociale de l'entreprise : ____

b. Relisez l'article « Concilier vie de famille et travail » (p. 59).

- À quelles informations correspondent ces chiffres ?

65 000 : ____

45 % : ____

60 % : ____

80 %, 60 %, 37 % : ____

90 % : ____

- Résumez en une phrase le problème posé.

____

- Quelles sont les solutions proposées ?

____

2. D'accord/Pas d'accord ? Dites à laquelle de ces catégories correspond chacune de ces prises de position.

	D'accord	Pas d'accord
a. Vouloir exercer au bureau un contrôle sur ma vie privée, pas question !	☐	☐
b. Faire passer les profits avant les emplois, on se moque de qui ?	☐	☐
c. L'autonomie, chacun sait que c'est la meilleure façon de bien travailler.	☐	☐
d. Concilier vie professionnelle et vie privée : oui, il y a une vie après le bureau !	☐	☐
e. Des crèches dans l'entreprise ? Les enfants ont droit à la proximité des parents quand ils travaillent.	☐	☐

3. Formulez différemment.

a. Une affaire personnelle :

b. Un travail autonome :

c. Une attitude injuste :

d. Une bonne pratique :

e. Une politique ambitieuse :

4. Trouvez un contexte non professionnel pour l'emploi de ces mots et formez une expression.

a. Bilan → **santé** → **un bilan de santé**

b. Ressources → →

c. Affaire → →

d. Circulaire → →

e. Plan → →

5. Dans une entreprise, à propos de quoi lit-on ou entend-on ces expressions ?

Un conflit social – un départ à la retraite – un conflit entre deux responsables – une note de la direction – un planning de travail.

a. La riposte s'organise :

b. Organise mieux ton plan :

c. Il perd du temps, il ne sait pas s'organiser :

d. Seule une rencontre au sommet peut débloquer la situation :

e. Tu te charges d'organiser la soirée :

Travail avec les pages Ressources

Vocabulaire

- douane (n.f.)
- absenter (s') (v.)

apostropher (v.)

bafouiller (v.)

bégayer (v.)

blaguer (v.)

bredouiller (v.)

confesser (v.)

démissionner (v.)

gueuler (v.)

marmonner (v.)

médire (v.)

rabâcher (v.)

vanter (se) (v)

1. Lisez le dialogue suivant entre une journaliste et Dany Boon à propos du succès de son film *Bienvenue chez les Ch'tis* : rapportez-le à une autre personne. Aidez-vous du tableau page 60.

• Votre dernier film est un énorme succès ; comment vivez-vous ce succès ?

Dany Boon : Je le vis de manière complexe. Je suis heureux de donner du bonheur à tant de gens. Je reçois à la production des lettres incroyables. Mais en même temps, j'ai une telle pression à cause de ce succès...

• Est-ce que vous aviez imaginé que vous auriez un tel succès ?

Dany Boon : J'avais montré le film à des amis qui m'avaient prédit un beau succès. Mais un succès historique comme ça... franchement non.

• Vous souvenez-vous de ce qui vous a donné l'idée du film ?

Dany Boon : Je m'en souviens très bien. C'est en lisant un article de presse méprisant sur les gens du Nord que j'ai eu envie de faire un film qui parlerait des gens de la région où je suis né.

• Ça a été un tournage difficile ?

Dany Boon : Non, ça a été un tournage heureux avec beaucoup de complicité. Une vraie partie de plaisir.

• Vous avez déjà un nouveau projet ?

Dany Boon : Oui, prendre des vacances !

Le journaliste lui a demandé... lui a fait remarquer... etc.

....

....

2. Que fait-il ? Que fait-elle ? Utilisez les verbes du tableau p. 60 (rubriques 3 et 4).

a. Oui, le choc sur l'aile gauche de la voiture, c'est de ma faute !

→ **Elle avoue.**

b. Euh... Comment expliquer ça... Je ne trouve pas le mot... Heu... Bon, vous voyez...

→ ....

c. Je vais te dire un secret mais ne le répète pas !

→ ....

d. Bon, pour la centième fois, je vous demande de me remettre vos devoirs le jour convenu.

→ ....

e. Moi, c'est pas difficile, je réussis tout ce que j'entreprends.

→ ....

C'est à savoir

Les moments de la négociation

- **Poser des conditions**
  ... si
  ... à condition que + (subjonctif)
  ... à condition de (sous réserve de)
  ... dans la mesure où
- **Faire des restrictions**
  ... sauf si
  ... à moins que + (subjonctif)
  ... à moins de
- **Faire des concessions**
  Bien que + (subjonctif) / *Même si*
  quand même (malgré tout – tout de même)
  Malgré (en dépit de)
  Il reste (Il n'empêche... Il n'en reste pas moins...)
  Encore que
  Je concède (j'admets, je reconnais)

3. Exprimez la condition, la restriction, la concession. Utilisez les expressions du tableau ci-dessus.

Vous êtes délégué commercial, un client vous interroge : « Ce nouveau produit sera-t-il prêt à la rentrée ? »

- Conditions : terminer les tests de laboratoire ; obtenir le certificat d'exploitation ; former les équipes de fabrication ; mettre au point la commercialisation.
- Restrictions : lenteur administrative qui peut retarder la délivrance du certificat ; service marketing qui n'arrive pas à se mettre d'accord sur la stratégie de communication ; prise de commandes insuffisantes.
- Concessions : délais très serrés ; bon rapport qualité-prix ; marché attend le produit.

Votre réponse : **Oui, à condition que les tests soient terminés,** ____________________

____

____

____

____

4. Vous parlez d'un livre à une amie. Reliez les idées suivantes en utilisant les expressions entre parenthèses.

a. J'avais lu de mauvaises critiques. J'ai quand même acheté le livre. Je suis heureusement surpris. (*bien que, je dois dire*)

____

b. Le récit est fort. L'intrigue reste un peu compliquée. (*même si*)

____

c. Les personnages sont peu sympathiques ; le héros est finalement assez attachant ; l'ensemble est assez immoral. (*encore que, il n'en reste pas moins que*)

____

d. La reconstitution de l'ambiance de l'époque est incroyablement réaliste ; le récit conserve une dimension fantasmatique. (*malgré, il reste que*)

____

5. **16 et 17** **Travaillez vos automatismes.**

a. Étonnement.

- Il n'est pas sportif. Il ne manque pas un match à la télévision.

→ **Bien qu'il ne soit pas sportif, il ne manque pas un match à la télévision.**

- Elle est malade ; elle va travailler.

→ ____________________

- Il est timide ; il prend facilement la parole.

→ ____________________

• Il est maladroit ; il adore bricoler.

→

• Elle est séduite ; elle n'est pas amoureuse.

→

b. Rapporter les paroles.
Écoutez ce qu'a dit Pierre.
• J'ai appelé hier soir. → **Il a dit qu'il avait appelé hier soir.**
• Personne n'a répondu. →
• Je t'ai cherché partout. →
• Je ne t'ai pas trouvé. →
• Je suis persuadé que tu étais resté à la maison. →

Travail avec les pages Simulation

Vocabulaire

• affectation (n.f.)
affrontement (n.m.)
aide-soignante (n.f.)
attestation (n.f.)
brimade (n.f.)
discernement (n.m.)
harcèlement (n.m.)
humilité (n.f.)
impair (n.m.)
manutentionnaire (n.m.)
polémique (n.f.)
prérogative (n.f.)
rigueur (n.f.)
technicien de surface (n.m.)
• abusif (adj.)
timoré (adj.)
• incomber (v.)
parfaire (v.)
rectifier (v.)
résulter (v.)

Vérifiez votre compréhension

1. Retrouvez dans l'article « Les relations dans l'entreprise » (p. 62) à quoi font allusion ces conseils.

a. Consultez cette photographie de l'entreprise :
b. Trouvez un équilibre entre humilité et dynamisme :
c. Suivez l'attitude du chef :
d. Évaluez bien votre champ d'action :
e. Ne passez pas par-dessus les hiérarchies :

Parlez

2. Trouvez l'attitude contraire.

a. Une personne timorée ≠ **une personne audacieuse**
b. Une attitude décontractée ≠
c. Un comportement abusif ≠
d. Une personnalité dynamique ≠
e. Un caractère rigoureux ≠

3. Dites à quelle attitude correspondent ces échanges.

a. Alors, vous m'apportez ce dossier ? → **autoritaire**

b. Salut tout le monde ! Alors ça bosse là-dedans ? → ……………………

c. Pensez-vous vraiment qu'on puisse donner notre accord à cette proposition ? → ……………………

d. Non, vous exagérez ; tout le mérite revient à Daniel, c'est lui qu'il faut féliciter. → ……………………

e. Vous le voulez pour demain ? Vous l'aurez ce soir ! → ……………………

4. Dans quelle profession emploie-t-on ces expressions ?

a. Mon client n'accepte pas que vous le traitiez comme un coupable.

→ ……………………

b. Les élèves qui participent au conseil de classe ont été prévenus ?

→ ……………………

c. Prévenez le capitaine qu'il vienne au rapport dans cinq minutes.

→ ……………………

d. Bon, vous envoyez trois de vos hommes surveiller ce qui se passe dans cette maison.

→ ……………………

e. Dites au maire que je le recevrai demain à 10 h.

→ ……………………

f. Alors vous avez passé une bonne nuit ? On va voir si la fièvre est tombée.

→ ……………………

g. Je fais combien de photocopies ?

→ ……………………

h. Regarde-moi ces dégueulasses, ils pourraient éviter de renverser leur tasse à café sur la table !

→ ……………………

Écoutez

5. 18 Écoutez le document sonore « Oui, Docteur ! » et répondez aux questions.

a. Vous venez d'entendre :

☐ un message sur un répondeur ☐ une conversation téléphonique ☐ un bulletin d'information

b. La personne que vous avez entendue travaille dans le domaine :

☐ juridique ☐ scientifique ☐ médical

c. D'après cette conversation, Mlle Bertrand devra :

	Vrai	Faux
• contacter un cabinet d'avocat	☐	☐
• changer un rendez-vous	☐	☐
• prendre un rendez-vous	☐	☐
• préparer des documents	☐	☐
• donner une réponse positive à une invitation	☐	☐
• s'occuper des rapports d'opération	☐	☐
• rappeler la personne l'après-midi	☐	☐

d. Quand la personne sera-t-elle joignable au téléphone ? ……………………

e. À quelle heure reviendra-t-elle ? ……………………

Analysez

6. Retrouvez les positions de chacun dans le sondage « Voix Express » ci-dessous.

a. Hostile à travailler toujours plus : ……………………………………

b. Privilégier la vie de famille : ……………………………………

c. Réserver ces emplois aux jeunes : ……………………………………

d. Penser au profit de l'entreprise : ……………………………………

e. Donner plus de souplesse : ……………………………………

f. Ouvrir d'autres services plutôt que les magasins : ……………………………………

g. Défendre la qualité de la vie : ……………………………………

VOIX EXPRESS Êtes-vous favorable à la fermeture tardive des magasins ?

Camille Kelhette,
18 ans,
étudiante à Strasbourg (67)

« **OUI.** C'est positif à 100 % ! À la fois pour les consommateurs qui pourront faire leurs courses plus tard le soir, mais également pour les patrons qui profiteront de meilleurs bénéfices. Cela permettra aussi de pouvoir faire du shopping, sortir plus tard... Mais il faut faire attention à ce que ce ne soit pas à double tranchant, surtout pour les vendeurs qui changent leurs horaires de travail. »

Danielle Lévy,
54 ans,
cadre à Fontenay-sous-Bois (94)

« **NON.** Je ne pense pas que ce soit une nécessité, ni que cette mesure créera plus d'emplois. Le soir je préfère sortir que faire du shopping. Travailler toujours plus avec des objectifs supplémentaires, ça me choque ! Je suis d'accord pour que les magasins restent ouverts le midi mais le soir ce n'est pas nécessaire. Cela serait plus utile d'élargir cette mesure aux services publics comme la Poste. »

Éric Knur,
38 ans,
agent SNCF à Château-Thierry (02)

« **OUI.** Moi, je travaille la nuit et le week-end, alors je préférerais que les magasins aient des horaires plus flexibles pour pouvoir faire mes courses plus facilement. C'est un rythme à prendre ! Et puis il y aura moins de monde le samedi. Dans beaucoup d'autres pays, les magasins ferment plus tard qu'ici. Pour les consommateurs français, ce serait vraiment une avancée. »

Frédéric Haouisée,
29 ans, ingénieur-logistique à Paris (10e)

« **OUI ET NON.** D'un côté, ça faciliterait la vie des gens qui travaillent. Mais la transition n'est pas simple. C'est peut-être la porte ouverte à toutes les dérives, en particulier la perte d'un certain confort de vie pour les employés de ces magasins et des difficultés notamment pour faire garder leurs enfants. Il faut proposer ces formes de contrats en particulier aux jeunes volontaires. »

Moea Bordes, 31 ans, agent immobilier à Paris (10e)

« **NON.** Les employés de ces magasins ont une vie à côté, une famille à préserver. Il faut toute une organisation pour les mères de famille pour récupérer leurs enfants. Moi, je privilégie avant tout la qualité de vie, il ne faut pas faire des heures supplémentaires à tout prix en dénaturant sa vie familiale même si aujourd'hui la vie n'est pas facile et que les salaires restent bas. »

Aujourd'hui, 21/07/2008.

7. Relisez l'encadré « Droit du travail et syndicats » page 64.
a. Dites si ces affirmations sont vraies ou fausses.

	Vrai	Faux
(1) La législation du travail est précise et contraignante.	☐	☐
(2) Le salarié et l'employeur sont liés par un contrat de travail.	☐	☐
(3) Le contrat de travail ne fait référence à aucune durée.	☐	☐
(4) Le contrat de travail règle les conditions particulières et générales de travail.	☐	☐

b. Retrouvez :

• quels sont les syndicats dits de :

– contestation : ....

– négociation : ....

• le pourcentage global de syndiqués : ....

• le pourcentage de syndiqués de la fonction publique : ....

• l'explication à l'attitude d'affrontement des syndicats : ....

....

Bon produit

Vous allez apprendre à :

- ☑ exprimer la ressemblance et la différence
- ☑ exprimer la comparaison
- ☑ parler des qualités et des défauts d'un produit

Travail avec les pages Interactions

Vocabulaire

• cabas (n.m.) ______
conservateur (n.m.) ______
encre (n.f.) ______
incivisme (n.m.) ______
modificateur (n.m.) ______
roulette (n.f.) ______
stabilisant (n.m.) ______
vasque (n.f.) ______
• craquelé (adj.) ______
nomade (adj.) ______
• dégrader (se) (v.) ______
entrebâiller (v.) ______
galoper (v.) ______

1. Vérifiez votre compréhension de l'article « Grand nettoyage de fin d'année », pages 66 et 67 du Livre de l'élève.
a. Retrouvez ce qui est :

1. de mauvaise qualité : ______
2. visité : ______
3. polluant: ______
4. rassurant: ______
5. suspect: ______
6. désirable: ______
7. fonctionnel: ______
8. recherché : ______ ;
9. mystérieux: ______

b. Retrouvez dans « le cabas des filles », les objets qui font partie :

1. des outils de travail : ______
2. des signes extérieurs de culture : ______
3. du tiroir secret : ______
4. de la trousse de secours : ______
5. de la mini-poubelle : ______

2. Trouvez les dérivés puis utilisez-les dans une expression.

a. Jeter : **jetable → un briquet jetable**

b. Polluer : ______

c. Recharger : ______

d. Dégrader : ______

e. Consommer : ______

3. Utilisez le verbe qui convient.

Encombrer – jeter – ranger – débarrasser – voir.

a. Il est devenu plus sage : il s'est **rangé**.

b. Elle ne le supporte plus, elle ne peut plus le ______

c. Les enfants, allez jouer dehors, vous m' ______

d. Ce collaborateur ne fait plus l'affaire ; le directeur s'en est ______

e. J'ai voulu intervenir, je me suis fait ______

4. De quoi parle-t-on ?

a. On y met des bouteilles usagées : **la poubelle**

b. On le prend pour aller au marché : ______

c. Lieu où on peut faire des enchères pour acheter un objet : ______

d. On y va pour rechercher un objet insolite : ______

e. Occasion pour se débarrasser de vieux objets, vêtements devenus inutiles : ______

5. À votre tour de définir :

a. un échantillon : ______

b. un alcool agricole : ______

c. un produit cosmétique : ______

d. un conservateur : ______

e. un pesticide : ______

Travail avec les pages Ressources

Vocabulaire

- • bague (n.f.) ______
- bonnet (n.m.) ______
- cheville (n.f.) ______
- clarinette (n.f.) ______
- clé (n.f.) ______
- clou (n.m.) ______
- collier (n.m.) ______
- crochet (n.m.) ______
- hiérarchie (n.f.) ______
- organigramme (n.m.) ______
- perceuse (n.f.) ______
- scie (n.f.) ______
- torchon (n.m.) ______
- tournevis (n.m.) ______
- • inclure (v.) ______
- insérer (v.) ______
- sauvegarder (v.) ______

1. **Exprimez l'identité et la ressemblance. Complétez. Aidez-vous du tableau page 68.**

Je ne l'avais pas vu depuis longtemps mais il est resté **tel que** je l'ai connu ; avec la même allure, __________ jeans ; il __________ à un acteur des années 1950 ; on __________ qu'il continue à vouloir imiter James Dean. Il a un goût __________ pour les voitures rapides ; __________ lui, il aime la vitesse et il croit qu'on peut encore rouler __________ on roulait à l'époque, sans se soucier de la vitesse. J'espère qu'il n'aura pas une fin __________

2. **Complétez. Drôle de pièce... Comparez. Aidez-vous du tableau page 68.**

a. J'ai beaucoup aimé la seconde partie de la pièce ; elle était bien __________ que la première.

b. C'est vrai, les acteurs jouaient beaucoup __________.

c. Oui, il y avait __________ de cohésion entre eux.

d. De toute façon, c'était difficile de faire __________.

e. En tout cas, on n'entendait pas le __________ bruit dans la salle.

3. **Comparez des verbes avec des noms.**

Trou – œuf – pompier – neige – goutte d'eau – fou – pierre.

a. S'amuser comme **un fou**

b. Être blanc comme __________

c. Fumer comme __________

d. Boire comme __________

e. Être malheureux comme __________

f. Se ressembler comme deux __________

g. Être plein comme __________

4. **Décrire une organisation : aidez-vous du tableau de l'exercice 2 page 69.**

L'Organisation internationale de la francophonie __________ au petit nombre des organisations multilatérales comme l'ONU. Elle __________ plusieurs organismes, un bureau politique et des bureaux thématiques. L'Organisation universitaire de la francophonie __________ de ces organismes. Elle compte 57 pays membres mais elle __________ aussi des pays observateurs. Parce qu'elle __________ des pays des cinq continents, la francophonie est pareille à un polygone étoilé sur lequel le soleil ne se couche jamais.

5. Formez des expressions avec les verbes.

Effacer – sauvegarder – afficher – concilier – coller.

a. Afficher ses opinions.

b. ______ à l'actualité.

c. ______ les différences.

d. ______ sa liberté de jugement.

e. ______ les divergences.

6. 19 et 20 **Travaillez vos automatismes.**

a. Emploi des pronoms à la forme négative.

• Il a fixé le rendez-vous ?

– Non, il ne l'a pas fixé.

• Il a mesuré les enjeux ?

______

• Il a compris les difficultés ?

______

• Il a affiché son opinion ?

______

• Il a mis en veille son agressivité ?

______

b. Construction « *faire* + infinitif ».

• Elle a enregistré la bande-son elle-même ?

– Non, elle l'a fait enregistrer.

• Elle a sélectionné les images elle-même ?

______

• Elle a monté les images et les sons elle-même ?

______

• Elle a composé la musique elle-même ?

______

• Et elle a inséré les bruitages elle-même ?

______

Travail avec les pages Projet

Vocabulaire

• acrobatie (n.f.) ______
aimant (n.m.) ______
antioxydant (n.m.) ______
aspiration (n.f.) ______
avant-garde (n.f.) ______
broderie (n.f.) ______
couture (n.f.) ______
code-barres (n.m.) ______
culpabilité (n.f.) ______
fibre (n.f.) ______
monture (n.f.) ______
panoplie (n.f.) ______
puriste (n.m.) ______
retouche (n.f.) ______
segment (n.m.) ______
• amovible (adj.) ______
gêné (adj.) ______
graphique(adj.) ______
soluble (adj.) ______
spontané (adj.) ______
• concocter (v.) ______
confectionner (v.) ______
franchiser (v.) ______

Vérifiez votre compréhension

1. Retrouvez les innovations qui correspondent aux dates qui ont marqué l'histoire d'Afflelou (p. xx).

1970 : ______

1978 : ______

1979 : ______

1984 : ______

1985 : ______

1994 : ______

1997 : ______

1999 : ______

2004 : ______

2006 : ______

2. Voici des mots liés à l'innovation ; dans quel contexte sont-ils également employés ?

Art – carrière professionnelle – cinéma – cuisine – histoire – littérature – mode – politique – sport.

a. Révolution → **histoire ; politique.**

b. Avant-garde → ______

c. Goût du jour → ______

d. Succès → ______

e. Premier → ______

3. Associez chacun de ces mots au contexte que vous aurez trouvé.

a. 1789 : **révolution**

b. Nouveau Roman : ______

c. Yannick Agnel : ______

d. Chanel n° 5 : ______

e. *Intouchables* : ______

Parlez

4. Un homme exemplaire Caractérisez avec des adjectifs tirés du tableau « Les mots clés des motivations du consommateur », page 73.

a. Il ne fait pas de manières, il est très **naturel**.

b. Pas besoin de lui dire quand il doit travailler, il est très ______

c. Il aime les choses vraies, il aime ce qui est ______

d. Quand il voit que les autres sont en difficulté, il se montre très ______

e. En société, il parle à tout le monde, il est très ______

5. Complétez avec un verbe de la liste des verbes d'organisation (ex. 3, p. 71).

a. Comme elle était invitée à une soirée costumée, elle a ______ de se déguiser en bohémienne.

b. Elle a ______ une jupe avec un vieux rideau.

c. Elle a trouvé une chemise de sa grand-mère qu'elle a ______ parce qu'elle était trop grande.

d. Elle a ______ des perles à un foulard qu'elle a noué autour de la taille.

e. Pour ______ son déguisement d'Esméralda, elle a rajouté un châle sur ses épaules.

f. Quand elle est arrivée chez ses amis, elle a ______ quelques pas de danse au son d'un tambourin.

6. Trouvez un verbe de la liste de l'exercice 2 de la page 71 qui va avec chaque expression.

a. C'est une histoire à **dormir** debout.

b. Il est bête à ______________ du foin.

c. Il y a dans son récit à ______________ et à ______________.

d. Il nous a pris pour des imbéciles, il s'______________ de nous.

e. Dans ce restaurant, la nourriture n'est pas fraîche. Je l'______________ à mes dépens.

f. Quand il joue, il est véritablement ______________ par son rôle.

g. Pas fameux ce vin, il a bien mal ______________.

7. Voici une liste d'adjectifs et de verbes : fabriquez des slogans sur le modèle « consommez malin ».

- Autonome, équitable, solidaire, authentique.
- Habiller, voyager, travailler, manger.

____

____

____

Écoutez

8. 21 Écoutez le document sonore « Parfums d'ambiance » et répondez aux questions.

a. Vous venez d'entendre :

☐ un reportage touristique
☐ une publicité de marques de parfums
☐ une émission de radio

b. Le document parle-t-il :

☐ d'une découverte scientifique ?
☐ d'une innovation technologique ?
☐ d'une tendance de la consommation ?

c. Dans ce document :

☐ on donne des explications sur un phénomène de société
☐ on donne des critères de choix au consommateur
☐ on met en garde contre certains dangers du produit
☐ on invite le consommateur à mieux s'informer

d. D'après ce que vous avez entendu :

	Vrai	Faux
• Toutes les boutiques cherchent à proposer des parfums artificiels.	☐	☐
• Ce sont les Britanniques qui ont inventé les parfums d'ambiance.	☐	☐
• Les grands parfumeurs et les boutiques écologiques ne s'intéressent pas à ce marché.	☐	☐
• Les parfums des bougies suivent les saisons.	☐	☐
• Il n'y a aucun risque toxique avec ces produits.	☐	☐
• L'Union européenne impose aux industriels d'informer le consommateur.	☐	☐

e. **À quelle saison correspondent ces senteurs ?**

Lilas :

Verveine :

Chêne :

Muguet :

Feu de bois :

Menthe :

Mousse :

f. **À quoi correspondent ces sigles :**

- Afise :
- REACH :

Analysez

9. **Quels produits innovants évoqués dans les différents articles des pages 70 à 73 correspondent à chacun de ces domaines ?**

a. Vie domestique :

b. Consommation :

c. Loisir :

d. Santé :

10. **Lisez l'article « L'espadrille descendue des montagnes » et répondez aux questions.**

LANDES

L'ESPADRILLE DESCENDUE DES MONTAGNES

Au XIIe siècle, les fantassins du roi Pierre II d'Aragon portaient des espadrilles. Mais ce n'est qu'au XVIIIe que l'on note sa naissance, quasi simultanée, à l'est et à l'ouest des Pyrénées. Les artisans du chanvre et du lin fabriquaient cette sandale durant les longs et rudes hivers. Produit populaire, peu coûteux, facile à faire, l'espadrille se développa au XIXe siècle. On l'utilise même dans les mines du nord de la France. Elles permettent de supporter la chaleur et la transpiration.

Le nom « espadrille » viendrait du jonc, *spartum*, qui servait à faire des nattes. Les semelles en chanvre ressemblant à ces nattes prirent la même appellation, *espartillos* en occitan et *espartena* en espagnol. Un petit coup de français transforma ces deux mots en « espadrille ». Elle est fabriquée aujourd'hui dans un atelier landais, créé en 1935 par Jean Corbun. L'usine prendra quinze ans plus tard le nom de Pare Gabia, qui signifie « sans équivalent » en basque. Il s'agissait de la marque qui se trouvait au fond des moules, rachetés par le sandalier, qui servaient à la fabrication des semelles. Il s'imprime encore sur les semelles.

L'espadrille pyrénéenne et artisanale est devenue landaise et industrielle (avec une filière basque. Elle se vend (250 000 paires par an) beaucoup à Paris, à 45 € environ pour une paire « mode ».

www.paregabia.com

Marianne, 23/12/2006.

a. Quelle est l'origine du mot espadrille ?

b. Qui portaient autrefois des espadrilles ?

c. En quoi sont-elles hygiéniques ?

d. À quoi se mesure aujourd'hui leur succès ?

e. Résumez leurs qualités et leurs défauts :

Une affaire qui marche

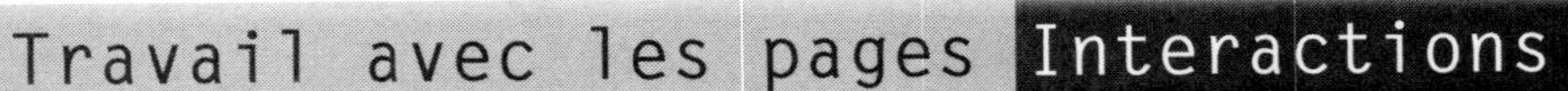

Vous allez apprendre à :

- ☑ présenter un projet
- ☑ nommer les actions et les qualités
- ☑ mettre en valeur

Travail avec les pages Interactions

Vocabulaire

- • casque (n.m.) ....
- cire (n.f.) ....
- complexe (n.m.) ....
- entrailles (n.f.pl.) ....
- suie (n.f.) ....
- voûte (n.f.) ....
- • constellé (adj.) ....
- écoulé (adj.) ....
- judicieux (adj.) ....
- pionnier (adj.) ....

1. Vérifiez votre compréhension. Lisez les articles sur les trois initiatives (p. 74-75 du Livre de l'élève) et dites si ces informations sont vraies ou fausses.

	Vrai	Faux
a. Les stations de la ligne B du métro de Toulouse sont décorées par les voyageurs.	☐	☐
b. C'est la première ligne de métro qui bénéficie de cette insertion de l'art dans la vie quotidienne.	☐	☐
c. Les voyageurs semblent peu sensibles à cette initiative.	☐	☐
d. Les lotissements pour séniors proposent de nombreux services.	☐	☐
e. Le vélo à assistance électrique connaît un joli succès en France.	☐	☐
f. La batterie qui alimente le VAE est lente à se recharger.	☐	☐

2. Voici leur définition : trouvez les mots qui s'y rapportent.

a. Mettre de l'argent pour le développement d'une entreprise : ....

b. Rendre la culture accessible à tous : ....

c. Insensibilité à un phénomène : ....

d. Ensemble de constructions qui forme une unité de maisons d'habitation : ....

e. Constitue une chance pour réussir : ....

3. Trouvez un synonyme.

a. Un choix **judicieux** : ....

b. Un acte **pionnier** : ....

c. Une tentative **originale** : ....

d. **Avoir de beaux jours** devant soi : ....

4. Commentez une situation : associez.

Il est bien implanté – il a le sens des affaires – il a un bon bilan – il a l'esprit d'entreprise – il est très compétitif.

a. Il sait bien gérer son entreprise. → ______

b. Il a trouvé un bon créneau commercial. → ______

c. Il gagne des parts de marché. → ______

d. Ses prix sont comparables à ceux de la concurrence. → ______

e. Il réalise des bénéfices. → ______

Travail avec les pages Ressources

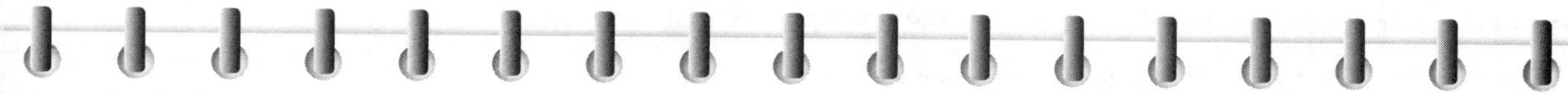

Vocabulaire

• aménagement (n.m.) ______ prototype (n.m.) ______ • rigide (adj.) ______

1. Météo politique : reformulez ces phrases et fabriquez des titres.

a. Les sondages baissent → **Baisse des sondages**

b. Les difficultés s'accumulent → ______

c. Les syndicats protestent → ______

d. Les partis s'affrontent → ______

e. Le gouvernement démissionne → ______

f. L'opposition est victorieuse → ______

g. La majorité est battue → ______

h. Le président est élu → ______

C'est à savoir

Mettre en valeur certains mots de la phrase

- **Transformation passive**
  Gabrielle Chanel a créé la maison de couture Chanel. → ***La maison de couture Chanel** a été créée par Gabrielle Chanel.*
- **Construction « *C'est (ce sont)* + pronom relatif »**
  C'est *Gabrielle Chanel* ***qui*** *a créé la maison Chanel.*
- **Construction « *Ce* + pronom relatif + verbe »**
  Ce qui a fait connaître *Coco Chanel, ce sont ses chapeaux.*
- **Sans nommer l'agent de l'action**
  • Avec **un pronom indéfini** : *On a dit que... Certains ont dit que...*
  • Avec **la forme impersonnelle** : *Il a été dit que...*
  • Avec **la forme passive** (quand le verbe a un complément direct) : *Un bilan a été publié.*

2. Mettre en valeur avec la forme passive : combinez les deux phrases.

a. Il y a eu le mauvais temps. Les touristes **sont partis**.

→ **Le départ** des touristes a été causé par le mauvais temps.

b. La ville a soutenu de grandes fêtes. Elles **se sont bien déroulées**.

→ ______________________________

c. Il n'y avait pas assez d'argent. On **a annulé** le programme de manifestations.

→ ______________________________

d. Le secteur culturel **s'est développé**. La ville en a profité.

→ ______________________________

e. L'office du tourisme **a lancé** une grande campagne publicitaire. Elle a attiré un nouveau public.

→ ______________________________

3. Mettre en valeur : réécrivez les phrases en commençant par les mots en gras.

a. Les Français apprécient de plus en plus **la cuisine venue d'ailleurs**.

→ ______________________________

b. Ce sont l'immigration, les voyages qui expliquent **les changements des goûts alimentaires des Français**.

→ ______________________________

c. Ces dernières années, on a aussi développé **des campagnes d'information** et dans les écoles on a remplacé les frites par des légumes verts.

→ ______________________________

d. Depuis quelques années, le public plébiscite **les produits diététiques**.

→ ______________________________

e. Au restaurant, dans les déjeuners de travail, la bouteille d'eau minérale remplace **la bouteille de vin**.

→ ______________________________

4. 22 Mettre en valeur en utilisant *ce qui, ce que, ce dont*, etc.

a. Le temps qui passe trop vite me désespère.

→ **Ce qui me désespère, c'est le temps qui passe trop vite.**

b. J'aimerais avoir plus de loisirs.

→ ______________________________

c. J'ai besoin de te voir plus souvent.

→ ______________________________

d. J'ai envie de partir en vacances quelques jours avec toi.

→ ______________________________

e. Je pense à un week-end prolongé à Prague.

→ ______________________________

5. 23 et 24 Travaillez vos automatismes.

a. Préparatifs de fête : confirmez.

• Pierre s'occupe des boissons.

– Oui, c'est ce dont il s'occupe.

• François s'occupe de la décoration.

– ______________________________

• Anne s'occupe de la musique

– ______________________________

• Olivier s'occupe des cartons d'invitation.

– ______________________________

• Annick s'occupe du traiteur.

– ______________________________

b. Utilisez la forme passive.

Agence de tourisme : vous reprenez le dossier d'un client.

• Vous avez confirmé les dates ?

– Oui, les dates ont été confirmées.

• Vous avez réservé l'hôtel ?

– ....

• Vous avez averti notre correspondant local ?

– ....

• Vous avez fait la facture ?

– ....

• Vous avez envoyé la confirmation au client ?

– ....

Travail avec les pages Simulation

Vocabulaire

• chalandise (n.f.) ....

composant (n.m.) ....

conjoncture (n.f.) ....

gamme (n.f.) ....

intéressement (n.m.) ....

référencement (n.m.) ....

remblai (n.m.) ....

réticence (n.f.) ....

tuteur (n.m.) ....

• implacable (adj.) ....

intact (adj.) ....

pervers (adj.) ....

reluisant (adj.) ....

somptuaire (adj.) ....

• battre en brèche (v.) ....

chanceler (v.) ....

démolir (v.) ....

doper (v.) ....

ravir (v.) ....

Vérifiez votre compréhension

1. Retrouvez dans le sommaire du magazine *Capital* (p. 78) l'objectif associé à chaque information.

a. Analyser : ....

b. Décrire : ....

c. Expliquer : ....

d. Conseiller : ....

e. Dénoncer : ....

2. Leroy Merlin : associez les informations aux chiffres suivants.

a. Deuxième place : ....

b. 17 900 : ....

c. 1 735 : ....

d. 20 % : ....

e. 12 % : ....

f. 6,5 % : ....

g. 120 : ....

h. 2 000 : ....

3. **Écoutez le document oral sur le projet de reconstruction du palais des Tuileries (p. 80) et classez les arguments suivant qu'ils sont :**

a. historique : ____

b. politique : ____

c. architectural et patrimonial : ____

d. économique et financier : ____

e. touristique : ____

Parlez

4. **Associez les verbes et formez des expressions.**

Perdre – placer – investir – emprunter – épargner.

a. **épargner** ses efforts.

b. ____ son temps.

c. ____ une route départementale.

d. ____ une place forte d'un pays ennemi.

e. ____ sa voix.

5. **Qu'est-ce qu'on fait quand on dit :**

a. En deux mots, voici ce dont il s'agit. → **on présente**

b. Excusez-moi, mais vous oubliez que... → ____

c. D'abord, je voudrais dire que... → ____

d. À cela j'aimerais ajouter... → ____

e. Pardon de vous couper, mais... → ____

6. **Dites-le autrement. Utilisez un substantif.**

a. Les prix **ont grimpé fortement : on assiste à une forte hausse des prix.**

b. Ce secteur **se développe rapidement** : ____

c. Le chiffre d'affaires **a augmenté** de manière rapide : ____

d. L'économie **se redresse** lentement : ____

Écoutez

7. 25 **Écoutez le document sonore « Les titres du journal » et répondez aux questions suivantes.**

a. **Vous venez d'entendre :**

☐ un reportage touristique

☐ un bulletin d'information

☐ une annonce économique

b. **L'enregistrement se passe :**

☐ dans la rue

☐ à la radio

☐ dans un bureau

c. **Qui parle ?** ____

____

d. Quels types d'information avez-vous entendus ? Cochez.

☐ Politique
☐ Économique
☐ Financière
☐ Touristique
☐ Sociale
☐ Sportive
☐ Pratique
☐ Météorologique
☐ Gastronomique
☐ Artistique

e. Retrouvez :

• quel secteur industriel est en difficulté : ______

• quel sera le montant du déficit du budget : ______

• la nouvelle destination des retraités : ______

• le nombre d'artistes qui exposent à La Force de l'Art : ______

• le résultat du match OL - Paris Saint-Germain : ______

Analysez

8. Dans le document « Quelques particularités des entreprises françaises » (p. 81), retrouvez :
a. ce qui relève :

• des habitudes culturelles : ______

• des relations sociales : ______

• des présupposés idéologiques : ______

b. les mots qui s'apparentent :

• à un rituel : ______

• à une méfiance : ______

• à une attitude narcissique : ______

• à une règle : ______

9. Relisez l'article « Leroy Merlin : une politique de partage » (p. 79) et cherchez ce que Leroy Merlin oppose :

• à la réunionite : ______

• au manque de motivation : ______

• aux règles et aux obligations : ______

• à la suspicion à l'égard de la formation : ______

10. Lisez l'article « Ne range pas ta chambre » et répondez aux questions.

NE RANGE PAS TA CHAMBRE !

Arrêtez de ranger les chambres de vos enfants et de classer votre courrier, si vous ne voulez pas devenir un esprit stérile. Telle est la théorie défendue par Abrahamson et Freedman, deux chercheurs américains, dans « Un peu de désordre = beaucoup de profits » (Flammarion). Dans tout système, il existerait, selon eux, une dose optimale de désordre. Juste ce qu'il faut pour laisser émerger des connexions inédites et donc inventer. « La quantité d'informations d'un système s'accroît si le système est aléatoire », résument-ils. Exemple : si Fleming avait rangé sa paillasse, il n'aurait pas laissé moisir un morceau de pain et n'aurait pas découvert la pénicilline. Idem pour le Nylon, le rayonnement fossile du big bang, etc. Vous pensez qu'il vaut mieux trier un jeu de cartes pour y retrouver quatre cartes ? Faux, car si vous mettez quatre secondes de moins pour trouver les cartes dans un jeu trié, il vous aura fallu

140 secondes pour ranger le jeu. Vous aurez donc encore perdu 136 secondes. Rien ne sert de trop ranger. D'ailleurs, le monde vit dans le désordre : la génétique, les circuits électroniques…

Le Point, 28/02/2008.

a. Quel est le conseil donné au début de l'article ?

b. Quel est le titre de l'ouvrage de Abrahamson et Freedman ?

c. Trouvez l'explication donnée par les auteurs.

d. À quels domaines appartiennent les exemples choisis ? Citez-les et classez-les.

Préparation au DELF B1

• Compréhension de l'oral

Reportez-vous aux activités des leçons 5 à 8 : « Écoutez le document sonore. »

Page 37, exercice 6 : « La vitrine de l'emploi » – Page 44, exercice 5 : « Oui, Docteur ! » – Page 52, exercice 8 : « Parfums d'ambiance » – Page 58, exercice 7 : « Les titres du journal... ».

• Compréhension des écrits

Objectif : lire des instructions.
Lisez le texte et répondez aux questions.

INCENDIE

Savoir RÉAGIR

Chaque heure en France, l'inattention et l'imprudence sont à l'origine de 30 incendies. Sachez vous organiser pour éviter le pire !

Identifier les sources de chaleur

➤ **Il est important de connaître les sources de chaleur** de votre logement :
– les installations et appareils électriques (les sèche-linge, lave-vaisselle…), dont la surchauffe provoque 30 % des incendies domestiques, souvent la nuit ;
– les appareils de cuisson et de chauffage au gaz, au pétrole ou au bois (gazinière, réchaud, poêle, chaudière, cheminée…).

➤ Pour chacune de ces sources, **il faut adopter le principe de précaution** :
– l'installation électrique est protégée par un disjoncteur, les câbles sont du bon diamètre et non surchargés, ils ne passent pas sous un tapis ni sous une porte (risque de déchirement), les multiprises sont utilisées en petit nombre ;
– les appareils électriques portables sont débranchés hors de leur période d'utilisation. Les appareils (lampe, grille-pain, radiateur, ordinateur, chaîne hi-fi) ne sont pas placés à proximité d'une source de chaleur ;
– les appareils de chauffage sont bien entretenus : révision annuelle des chaudières ;
– les appareils de cuisson ne sont pas laissés en marche sans surveillance ;
– les allumettes et les briquets sont tenus hors de portée des enfants.

Protection des personnes

➤ **70 % des décès par incendie** surviennent la nuit. Les personnes endormies sont particulièrement exposées au risque d'asphyxie, première cause de mortalité des victimes d'incendie. Pour cette raison, il est recommandé d'équiper votre logement de détecteurs de fumée.

Associer les enfants à tout le processus

➤ **Leur apprendre les dangers du feu :** ne pas se diriger vers la fumée ; se mettre à plat ventre quand l'oxygène vient à manquer ; se rouler par terre si les vêtements prennent feu ; recouvrir d'un linge les vêtements d'une personne en feu, l'empêcher de courir (cela attise les flammes).
➤ **Les habituer à reconnaître le son de l'alarme d'incendie** et répéter avec eux l'exercice d'évacuation.

Éviter les gestes fatals

➤ **Ne jamais ouvrir une porte** sans avoir vérifié, au toucher, qu'elle est froide.
➤ **Ne jamais allumer la lumière** en présence d'une odeur de gaz, même la nuit.
➤ **Ne jamais retourner** dans une pièce enfumée.

1. Ce document a été rédigé pour :

☐ **a.** donner des conseils en rapport avec les risques d'incendie.

☐ **b.** faire de la publicité pour les appareils détecteurs d'incendie.

☐ **c.** parler des moyens mis en œuvre pour agir contre les incendies.

2. Lisez le texte. Vérifiez si ces affirmations sont vraies ou fausses.

	Vrai	Faux
a. La surchauffe des appareils électriques est à l'origine de 30 % des incendies.	☐	☐
b. Il faut faire procéder à une révision annuelle des appareils de chauffage.	☐	☐
c. Peu de matériaux sont susceptibles de s'enflammer.	☐	☐
d. L'asphyxie, la nuit, est la cause la plus fréquente de la mort provoquée par un incendie.	☐	☐
e. Il convient d'apprendre aux enfants les bons gestes face aux dangers du feu.	☐	☐

3. Pour ne pas s'exposer aux risques du feu, à quoi doit-on veiller s'agissant de :

a. l'installation électrique : ...

b. l'équipement des appartements contre les risques d'incendie : ...

c. l'entretien des appareils de chauffage : ...

4. Répondez :

a. Quelles sont les principales causes des incendies en France ?

...

b. À quoi correspondent ces chiffres :

30 % : ...

70 % : ...

5. De quelle manière doit-on sensibiliser les enfants aux risques d'incendie ? (deux éléments)

...

6. Que doit-on faire :

a. quand l'air se raréfie : ...

b. si le feu se propage aux vêtements : ...

c. si l'alarme se déclenche : ...

7. Que ne doit-on pas faire :

a. si une porte est chaude : ...

b. si l'on sent une odeur de gaz : ...

c. si la fumée s'est répandue dans une pièce : ...

• Production écrite

À partir de la notice d'instructions, vous rédigerez un article sur les dangers d'incendie à la maison.

• Constat • Mauvaises pratiques • Prévention

• Production orale

Vous avez acheté un nouveau téléphone portable qui fonctionne très mal. Vous retournez chez le vendeur ; vous exprimez votre mécontentement.

Je salue, je me présente.
J'exprime une insatisfaction.
J'explique ce qui se passe, je formule une hypothèse.
Je réponds à l'explication embarrassée du vendeur.
Je m'énerve quand il met en cause ma compétence à l'utiliser.
J'exprime une nécessité.
Je menace.
J'essaie de trouver un accord avec le vendeur.

Où est la vérité ?

Vous allez apprendre à :

- ☑ exprimer la possibilité ou l'impossibilité
- ☑ commenter une information (véracité, cause)
- ☑ maîtriser l'emploi du conditionnel

Travail avec les pages Interactions

Vocabulaire

- • bribe (n.f.) ____________
- engueulade (n.f.) ____________
- métronome (n.m.) ____________
- revendication (n.f.) ____________
- ronflement (n.m.) ____________
- • disponible (adj.) ____________
- • tenir en haleine (v.) ____________

1. Trouvez ce qu'ils font quand ils disent :

Conseiller – convaincre – insister – influencer – persuader.

a. Je vous assure, ça vaut le déplacement.

→ ____________

b. Mais si, je vous assure, venez. Vous ne gênerez pas Je vous en prie Allez, laissez-vous tenter !

→ ____________

c. Si vous voulez mon avis : allez-y.

→ ____________

d. Si vous le faites, nos partenaires apprécieront Ensuite, vous serez en position de force.

→ ____________

e. Je vais vous dire pourquoi vous allez le faire... D'abord, si vous ne le faites pas, d'autres le feront à votre place. Ensuite...

→ ____________

2. Vérifiez votre compréhension : relisez le dossier « Les médias nous disent-ils la vérité ? » (p. 90-91 du Livre de l'élève) et dites si ces affirmations sont vraies ou fausses.

	Vrai	Faux
a. La téléréalité cherche de manière continue à tenir le spectateur en haleine.	☐	☐
b. Tous les moments de la vie des candidats sont filmés et retransmis.	☐	☐
c. Ces détails permettent de construire des histoires différentes chaque jour.	☐	☐
d. Les résultats des sondages dépendent de la manière dont on pose les questions.	☐	☐
e. Les lecteurs veulent se retrouver dans les résultats des sondages.	☐	☐
f. La télévision doit rendre les téléspectateurs disponibles pour mieux apprécier le contenu d'une émission.	☐	☐
g. La mesure de l'audience est une vérification quotidienne de l'adéquation de l'intérêt du public pour les programmes.	☐	☐

3. Vérité ou mensonge : faites correspondre les mots et les phrases.

La franchise – le mystère – un faux – un trompe-l'œil – un mensonge.

a. C'est bien imité, mais ce n'est pas l'original.

→ ______________________________

b. Une fois de plus, il a tout inventé.

→ ______________________________

c. Les rues, les maisons, tout est très bien imité.

→ ______________________________

d. Lui, au moins, il dit toujours ce qu'il pense.

→ ______________________________

e. Hélas, on ne saura jamais ce qui s'est réellement passé.

→ ______________________________

4. Influencer : choisissez l'interlocuteur qui est influencé favorablement.

a. Vraiment, lis ce livre, je t'assure, il est excellent.

☐ Ah ! oui, c'est qui l'auteur ? ☐ N'insiste pas, je ne le lirai pas.

b. Je te conseille d'y aller ; tu ne seras pas déçu.

☐ Tu exagères ! ☐ Bon, si tu le dis...

c. Il faut que tu viennes à cette fête Il y aura Élodie et sa copine !

☐ Ne me pousse pas trop ! ☐ Pas question d'aller à une fête organisée par Jérôme.

d. Il faut vraiment que tu viennes au festival, j'insiste.

☐ Dit comme ça, alors je viendrai... ☐ Non, je ne suivrai pas ton conseil.

e. Je suis persuadé que tu aimeras le spectacle. C'est tout ce que tu aimes.

☐ N'insiste pas ! ☐ Et après ça, je fais quoi ? J'y vais bien sûr.

5. Complétez.

Tromper – simuler – exagérer – inventer.

a. Tu y crois toi ? C'est trop gros, il ______________________________.

b. Je suis sûr qu'il nous engage sur une fausse piste, qu'il nous ______________________________.

c. Tout le monde y a cru, mais il a tout ______________________________.

d. Il n'a pas son pareil pour faire croire qu'il ne va pas bien, il ______________________________ toujours une maladie.

e. Elle l'a suivi jusqu'au bout avant de s'apercevoir qu'il l'avait ______________________________.

Travail avec les pages Ressources

Vocabulaire

• campement (n.m.) ________	pirate (n.m.) ________	suicide (n.m.) ________
créature (n.f.) ________	poulpe (n.m.) ________	• capturé (adj.) ________
ossement (n.m.) ________	sépulture (n.f.) ________	• déchiffrer (v.) ________

C'est à savoir

Expression de la possibilité

Exprimer la possibilité et ses nuances (probabilité, éventualité) appelle des temps verbaux différents.

- **Avec l'indicatif**
  Il (me) semble que... J'ai l'impression que... Il est probable que...
- **Avec l'infinitif**
  Ça pourrait être... Ça risque d'être...
- **Avec le subjonctif**
  Il est possible / impossible que...
  Il semblerait que...
  Il est peu probable que...
  Il y a des chances (il n'y a aucune chance) pour que...
- **Le futur ou le futur antérieur** permettent d'exprimer une éventualité.
- **Le conditionnel** permet d'exprimer un fait qui n'a pas été vérifié.
  On le trouve souvent dans les articles de presse.

1. Faites des suppositions. Vous allez au concert ; en arrivant, vous apprenez que l'artiste a annulé.

a. Il est possible... (*ne plus avoir envie de chanter*)

....

b. Il est peu probable... (*être malade*)

....

c. Il n'y a aucune chance... (*venir de nouveau chanter ici*)

....

d. J'ai l'impression que... (*être fatigué depuis quelque temps*)

....

e. Il semblerait que... (*déconseiller de chanter aussi souvent*)

....

2. Projet contrarié. Répondez en utilisant l'expression indiquée.

a. Le projet est reporté ?
– Il semblerait que ....

b. Tu dois aller à Paris pour le défendre ?
– Il y a des chances que ....

c. Tu crois que les clients réagiront favorablement ?
– Il est peu probable que ....

d. Les modèles sont défectueux, dit-on.
– Oui, la plupart des modèles ....

e. Tu penses qu'on devra renoncer au marché ?
– Je pressens que ....

f. L'information sera-t-elle confirmée ? Connaîtra-t-on un jour ce qui s'est réellement passé ?
– Il est probable que .... mais on peut douter ....

C'est à savoir

Raisonner par hypothèses

- **Hypothèse avec *si***

L'hypothèse est une éventualité	L'hypothèse est un fait imaginé
Si + présent → présent ou futur	*Si* + imparfait → conditionnel présent
Si + passé composé → présent, futur ou passé composé	*Si* + plus-que-parfait → conditionnel présent ou passé

- **Double hypothèse :** la deuxième est introduite par *que* + subjonctif.
  Si ... et que ...

- **Autres formes de raisonnement**
  En supposant... En admettant... En imaginant...
  Supposons... Admettons... Imaginons...
  À supposer...
  Dans le cas où... (Au cas où... Dans l'hypothèse où...) cette maison nous plairait (conditionnel), *nous l'achèterions tout de suite.*

3. Avec des si... Mettez les verbes entre parenthèses au temps qui convient.

a. Si tu as acheté cet ordinateur portable, tu le (*regretter*) .... longtemps.

b. Si tu m'avais conseillé, je ne pas (*aller l'acheter*) .... tout seul.

c. Si tu m'avais écouté, je ne pas (*perdre*) .... tout ce temps.

d. Si j'arrive à négocier la reprise par le marchand, je te le (*faire savoir*) ....

e. Si tu y arrives, je t' (*offrir*) .... un bon repas.

4. C'est une hypothèse. Transformez.

a. Que feriez-vous si on vous proposait de prendre un poste à l'étranger ?

→ Au cas où ....

b. S'ils vous faisaient une proposition sérieuse, vous seriez prête à l'accepter ?

→ Supposons que ....

c. Si vous avez besoin d'avoir des informations, vous pouvez me contacter à mon domicile.

→ Au cas où ....

d. N'hésitez pas faire appel à moi si on vous convoque à un entretien et que vous souhaitez le préparer.

→ Si .... et que ....

e. En préparant bien l'entretien, vous éviteriez certains pièges des recruteurs.

→ Si ....

5. 26 et 27 Travaillez vos automatismes.

a. Faites des hypothèses ; confirmez comme dans l'exemple.

• Il ne s'est pas perdu : c'est impossible.

C'est impossible qu'il se soit perdu.

• Il n'a pas pris le train ; c'est peu probable.

....

• Il s'est trompé ; il y a peu de chances.

• Il est un peu distrait ; c'est possible.

b. **Avec des si...**

• Elle n'avait pas les yeux verts. Je ne l'ai pas épousée.

Si elle avait eu les yeux verts, je l'aurais épousée.

• Elle ne m'a pas laissé son numéro de téléphone ; je ne l'ai pas appelée.

• Je ne l'ai pas rencontrée avant, je ne l'ai pas épousée.

• Elle ne m'a pas téléphoné ; je ne l'ai pas invitée.

• Il ne m'a pas plu ; je ne l'ai pas encouragé.

Travail avec les pages Projet

Vocabulaire

• bagne (n.m.)
bocal (n.m.)
capitulation (n.f.)
délinquant (n.m.)
délit (n.m.)
empreinte (n.f.)
enchantement (n.m.)
envahisseur (n.m.)
escorte (n.f.)
espionnage (n.m.)
garde à vue (n.f.)
homicide (n.m.)
investigation (n.f.)
juriste (n.m.)
menotte (n.f.)
mystification (n.f.)
perpétuité (n.f.)
plaidoirie (n.f.)
prophétesse (n.f.)
réquisitoire (n.m.)
sorcellerie (n.f.)
supplice (n.m.)
traumatisme (n.m.)
verdict (n.m.)
• acquitté (adj.)
aisé (adj.)
banalisé (adj.)
châtié (adj.)
décapant (adj.)
ecclésiastique (adj.)
idolâtre (adj.)
impétueux (adj.)
invocateur (adj.)
irréparable (adj.)
• commuer (v.)
démasquer (v.)
destituer (v.)
dilapider (v.)
empocher (v.)
exhorter (v.)
fouiller (v.)
gracier (v.)
manier (v.)
perquisitionner (v.)
suicider (se) (v.)

Vérifiez votre compréhension

1. Relisez « Affaires célèbres » (p. 94). Qui était :

a. Jean Calas :

b. Marie-Antoinette :

c. Alfred Dreyfus :

d. Henri-Désiré Landru :

e. Marie Besnard :

f. Gaston Dominici :

g. Charles Ponzi :

h. Jeanne d'Arc :

2. Relisez le dossier « Le mystère de Jeanne d'Arc » (p. 96-97) : retrouvez les événements qui s'attachent à ces dates. Formulez-les comme dans l'exemple.

1392 : **maladie mentale de Charles VI**

1420 : destitution

1422 :

1429 :

1430 :

1431 :

1870 :

1909 :

1920 :

3. Retrouvez dans « Le mystère de Jeanne d'Arc » tous les mots qui ont un lien avec le mot « mystère ».

Mystère : **miracle,**

4. Retrouvez dans « Affaires célèbres » tous les mots qui évoquent la justice et classez-les selon les thèmes suivants :

a. L'enquête :

b. Le procès :

c. La sanction :

Parlez

5. De qui parle-t-on ?

a. La police pense que c'est lui qui a commis le crime : **un criminel**.

b. Il pourrait avoir un rapport avec l'affaire :

c. Il défend l'accusé pendant le procès :

d. Il fait partie de ceux qui ont aidé l'accusé :

e. Il fait partie des personnes qui sont chargées de prononcer le verdict :

6. **Que s'est-il passé ? Trouvez le début de ces titres de presse.**

a. .... DES BIJOUX D'UNE VALEUR DE 1 MILLION D'EUROS ONT DISPARU.

b. .... LA POLICE EST SUR UNE PISTE.

c. .... ÉLOQUENTE PLAIDOIRIE DE MAÎTRE DUGAZ.

d. .... IL PASSERA DIX ANS DERRIÈRE LES BARREAUX.

e. .... MARIE ROBERT AVOUE.

7. **Qui dit quoi ? Attribuez ces phrases.**

a. Un jeune homme est passé en courant et m'a arraché mon sac. → **la victime**

b. Et vous n'avez rien entendu ? → ....

c. Je n'ai rien entendu mais j'ai vu, enfin il m'a semblé voir... → ....

d. Messieurs les Jurés, ce n'est pas moi, c'est la société qui réclame justice. → ....

e. En notre âme et conscience, nous déclarons l'accusé coupable. → ....

8. **Scène de jalousie : complétez avec le vocabulaire de la justice.**

a. J'en ai assez de tes **procès** d'intention !

b. Je te trouve bien mauvais .... Tu ne me convaincras pas.

c. Toujours chercher des ...., ta jalousie te fait faire n'importe quoi !

d. C'est ça, joue .... maintenant, ça te va bien.

e. Ça me va aussi bien que le rôle d' .... que tu veux me faire jouer.

Écoutez

9. 28 **Écoutez le document sonore « C'est urgent ! » et répondez aux questions.**

a. De quel type de document sonore s'agit-il ?

☐ un reportage ☐ une enquête ☐ une interview

b. Comment s'appelle l'émission ?

....

c. De quoi traite-t-elle ?

....

d. Dans le document, qui :

• témoigne : ....

• analyse : ....

• commente : ....

e. Cochez les bons pourcentages sur le nombre de victimes de violence à l'école élémentaire :

☐ 5 % ☐ 25 % ☐ 15 %

f. Pour le docteur Catherine, quel est le phénomène plus inquiétant ?

g. Relevez le numéro VERT : ____________________

h. Écrivez l'adresse du site : ____________________

Analysez

10. Lisez l'article sur l'affaire Seznec et répondez aux questions.

SEZNEC :
VINGT ANS À CAYENNE SANS RAISON

Innocent, Seznec l'est sûrement. Des années après l'affaire, les incohérences de l'enquête sautent aux yeux. Mais, à l'époque, beaucoup de gens étaient convaincus de la culpabilité de Guillaume Seznec, ce maître menuisier breton accusé en 1924 d'avoir tué son ami, le conseiller général du Finistère, Pierre Quéméneur. Les témoins à charge reconnaîtront par la suite avoir subi des pressions de la part des policiers, lesquels sont allés jusqu'à fabriquer de fausses preuves.

L'affaire Seznec, c'est l'histoire d'une manipulation, d'un crime sans cadavre et sans mobile. On a fabriqué un coupable, et on l'a envoyé au bagne de Cayenne (1), où il passera plus de vingt ans de sa vie ! Y a-t-il eu une machination politico-militaire ? Quéméneur et Seznec étaient en affaires : un commerce fructueux de Cadillac laissées par les militaires américains, et qu'il s'agissait de revendre à l'URSS. La Bretagne était aussi à l'époque le terrain d'un important trafic de faux dollars et d'un commerce illégal d'alcool vers les États-Unis, alors en pleine prohibition. Ces faits ne seront pas évoqués lors du procès.

Gracié par le général de Gaulle, Seznec sera finalement libéré en 1947. Une satisfaction pour les membres de sa famille, dont le but fut ensuite d'obtenir une réhabilitation officielle de leur aïeul. En vain. Le mystère demeure entier : on n'a jamais retrouvé le corps de Quéméneur. A-t-il disparu aux États-Unis ? A-t-il été victime d'un autre règlement de comptes ?

Une seule chose est sûre : Quéméneur a été vu vivant après avoir quitté Seznec. Seznec ne l'a pas assassiné.

Voyage au cœur du mystérieux,
Sélection du Reader's Digest, Paris, 1996.

(1) À Cayenne, en Guyane française (Amérique du Sud), était situé le bagne, pénitencier où étaient déportés les condamnés aux travaux forcés. Les derniers condamnés ont quitté le bagne de Cayenne en 1956.

a. Retrouvez à quoi correspondent ces deux dates :

- 1924 : ____________________
- 1947 : ____________________

b. Recherchez dans le texte la phrase qui évoque le titre et qui sert à l'auteur à définir l'affaire.

____

c. Qui fait quoi ?

- Seznec : ____________________
- Quéméneur : ____________________

d. Quels liens les unissaient ?

____

e. Notez les phrases interrogatives et dites à quoi elles correspondent.

____

____

____

f. Relevez dans le texte les éléments qui constituent l'erreur judiciaire.

____

Faites vos jeux !

Vous allez apprendre à :

- ☑ généraliser et particulariser
- ☑ jouer avec les mots
- ☑ maîtriser les constructions avec deux pronoms

Travail avec les pages Interactions

Vocabulaire

billard (n.m.) ____________
échecs (n.m.pl.) ____________
fléchette (n.f.) ____________
jeu de l'oie (n.m.) ____________
lot (n.m.) ____________
roulette (n.f.) ____________
tiercé (n.m.) ____________
• déguiser (v.) ____________

1. Lisez la définition et trouvez le nom de chacun des jeux.

a. J'achète, je vends... Parcours immobilier : ____________

b. C'est à savoir et c'est celui qui sait qui gagne à la fin : ____________

c. S'écrit en 3, 4, 5 lettres ou plus : ____________

d. Se joue à deux et souvent à quatre mains, de préférence au bistrot : ____________

e. Il y en a toujours un qui ment : ____________

2. Classez les jeux inventoriés dans le test page 98 selon qu'ils nécessitent :

a. une habileté : ____________
b. un savoir : ____________
c. un esprit logique : ____________
d. un engagement physique : ____________
e. une disponibilité sociale : ____________
f. uniquement de la chance : ____________

3. Donnez un nom de jeu qui permet de :

a. s'évader dans l'imaginaire : ____________
b. gagner beaucoup d'argent : ____________
c. échanger : ____________
d. se dépasser physiquement : ____________
e. faire fonctionner son intellect : ____________

4. Trouver une explication.

Être généreux – être prévenant – être tolérant – prendre du recul – refuser la réalité.

a. On s'évade dans le passé **parce qu'on refuse la réalité**.

b. On gagne la reconnaissance d'autrui ______

c. On dépasse ses préjugés ______

d. On anticipe le désir d'autrui ______

e. On plaisante sur soi-même ______

5. Trouvez le sens de ces expressions avec « jeu ».

a. Ce n'est pas du jeu.

b. Il se prend au jeu.

c. Il joue un drôle de jeu.

d. Il est hors jeu.

e. Il joue gros jeu.

1. Il n'est pas franc.

2. Il prend des risques.

3. il ne respecte pas les règles.

4. Il se passionne.

5. Il ne compte plus.

Drôle de jeu

6. Trouvez dans les pourcentages du sondage page 99 « Les Français et les jeux » ceux qui correspondent aux quantités suivantes exprimées de manière approximative.

a. Plus de la moitié : **55 %**

b. Autour d'un tiers : ______

c. Un peu moins d'un quart : ______

d. Environ un dixième : ______

e. Quelques pour cent : ______

Travail avec les pages Ressources

Vocabulaire

• averti (adj.) ______ enceinte (adj.) ______ repéré (adj.) ______

censé (adj.) ______ glacial (adj.) ______

1. Au restaurant : complétez.

« Qu'est-ce que tu prends ?

– **Le** couscous maison.

– Moi je prendrai ______ salade composée

– Comment est ______ beaujolais en pichet ?

– C'est ______ vin de notre propriété !

– Alors ______ pichet, un peu frais.

– Et comme dessert, qu'est ce que vous me conseillez ?

– Notre spécialité, ______ mille-feuille. »

2. Classez les phrases selon le sens de l'article indéfini.

	Généralisation (tous les... toutes les...)	Idée d'indéfini (n'importe quel... n'importe quelle...)
a. Un thé, s'il vous plaît. **b.** Un compte rendu doit être bien structuré. **c.** Un bon banquier ne vous aurait pas dit ça. **d.** Un guide suffit pour la visite. **e.** Un bon élève doit savoir ça. **f.** Une personne sensée n'aurait pas agi de cette manière. **g.** Un client vous attend.		

3. Où partent-ils ? Commentez. Utilisez des pronoms indéfinis.

a. Tous les Français prennent des vacances.

Tous prennent des vacances.

b. Presque tous les Français séjournent en France.

c. Un grand nombre de ceux qui partent à l'étranger restent en Europe.

d. Quelques aventuriers choisissent de partir très loin.

e. Certains Français décident de leur destination en fonction du prix du séjour.

4. Départ en vacances : répondez négativement en utilisant le mot entre parenthèses.

a. Quelqu'un s'est occupé de la voiture ? (*personne*)

– Non, personne ne s'en est occupé !

b. Jean-Pierre, Philippe, tu les as appelés ? (*aucun*)

–

c. Et ils ne se sont pas manifestés ? (*aucun*)

–

d. Tu as regardé la carte, fait l'itinéraire ? (*rien*)

–

e. Tout est prêt ? (*rien*)

–

C'est à savoir

Construction avec deux pronoms

- **Trois constructions possibles :**
  1. *me, te, nous, vous* **+** *le (l'), la (l'), les*
  Ce CD, je ***te l'****offre.*

  2. *le, la, les + lui, leur*
  Ma montre, je ***la lui*** *donne.*

  3. *m', t', lui, nous, vous, leur + en*
  Des livres, il ***m'en*** *offre. Il* ***lui en*** *a offert.*
- **À l'impératif**
  a. Donne-le-lui. / Ne le lui donne pas.
  b. Prête-les-lui. / Ne les lui prête pas.
  c. Offre-lui-en. / Ne lui en offre pas.

5. Crise... Transformez en utilisant un double pronom.

a. Tu as parlé de Clara à François ?
– Oui, je lui ai parlé d'elle.

b. Il lui dira la vérité ?
– Oui, ____________________

c. Elle va aussi te demander des explications ?
– Oui, ____________________

d. Tu lui as proposé de la voir ?
– Oui, ____________________

e. Il t'a raconté qu'elle l'a menacé ?
– Oui, ____________________

6. 29 et 30 **Travaillez vos automatismes.**

a. Préoccupations touristiques : confirmez comme dans l'exemple.

• Tu as indiqué l'itinéraire au client ?
– Je le lui ai indiqué.

• Tu as donné la carte touristique à la cliente ?
– ____________________

• Tu as demandé au groupe ce qu'il préférait ?
– ____________________

• Tu as fait la proposition d'excursion aux vacanciers ?
– ____________________

• Tu as offert nos services aux accompagnateurs ?
– ____________________

b. C'est un ordre ! Donnez-le comme dans l'exemple.

- Tu dois expliquer les circonstances de l'accident aux agents.

Explique-les-leur !

- Tu dois montrer les papiers de la voiture à l'inspecteur.

- Tu dois donner ton numéro de contrat à l'assureur.

- Tu dois proposer à l'autre conducteur de remplir un constat.

- Tu dois montrer ta carte grise aux agents.

Travail avec les pages Simulation

Vocabulaire

- as (n.m.)
- atout (n.m.)
- carreau (n.m.)
- cartomancien (n.m.)
- cavalier (n.m.)
- comble (n.m.)
- consultant (n.m.)
- échiquier (n.m.)
- fou (n.m.)
- levée (n.f.)
- mise (n.f.)
- noblesse (n.f.)
- pion (n.m.)
- pique (n.m.)
- prune (n.f.)
- rival (n.m.)
- trèfle (n.m.)
- annulé (adj.)
- coincé (adj.)
- féroce (adj.)
- imminent (adj.)
- concentrer (se) (v.)
- défausser (se) (v.)
- étaler (v.)
- présager (v.)
- tricher (v.)

Vérifiez votre compréhension

1. Lire les cartes.

a. Associez le thème à chacune des couleurs.

- Argent :
- Maladie :
- Amour :
- Vie spirituelle :

b. Associez chacune des cartes et sa couleur à ces différentes significations.

- Un changement spirituel : **le 8 de trèfle.**
- Un voyage :
- Un cadeau :
- Une mauvaise nouvelle :
- Une femme qui aime :
- Une aide :
- Un événement douloureux :
- Un chagrin d'amour :

2. Vous avez bien compris les règles : vrai ou faux ?

	Vrai	Faux
a. On joue au 421 avec des dés.	☐	☐
b. À la bataille, celui qui a la carte la plus forte ramasse la levée.	☐	☐
c. Il y a bataille quand les deux cartes jouées ont la même valeur.	☐	☐
d. Aux échecs, celui qui dit « échec et mat » remporte le pion.	☐	☐
e. À la bataille, le vainqueur est celui qui a ramassé toutes les cartes.	☐	☐

Parlez

3. Chacun son jeu : trouvez le mot qui correspond à la définition (aidez-vous du tableau « Les jeux » page 103).

a. N'aime pas perdre : **un mauvais perdant**.

b. Il est bon d'en avoir plusieurs dans son jeu : ____________

c. À garder pour le moment décisif : ____________

d. Se débarrasse d'une carte inutile : ____________

e. La carte qui compte : ____________

4. Négocier : conseils. Complétez.

Abattre – faire – gaspiller – gagner – passer.

a. Vouloir **faire** un coup.

b. Ne pas chercher à ____________ sur tous les tableaux.

c. Choisir le bon moment pour ____________ son jeu.

d. Veiller à ne pas ____________ ses atouts.

e. Savoir ____________ son tour.

5. Quand les mots du jeu servent à caractériser : donnez le sens de ces expressions.

a. Il a plus d'un tour dans son sac : **il est malin**.

b. Il est beau joueur : ____________

c. Il cache bien son jeu : ____________

d. Il a l'art de couper les cheveux en quatre : ____________

e. Il a l'art de se jouer des autres : ____________

Écoutez

6. 31 Écoutez le document sonore « Poker d'as » et répondez aux questions.

a. De quel genre de document s'agit-il ?

☐ message sur un répondeur ☐ conversation téléphonique
☐ conversation dans un lieu public

b. Qui parle à qui ?

☐ deux étudiants ☐ deux collègues de travail
☐ deux personnes qui ne se connaissent pas

c. La voix féminine travaille :

☐ dans un bureau d'études ☐ un club de loisirs ☐ une association

d. Quel est l'objet de l'appel ?

☐ une demande d'informations ☐ un changement d'heure de cours
☐ une demande d'inscription

e. Que cherche l'intéressé ?

☐ des cours de boxe – ☐ des cours de poker ☐ des cours sur Internet

f. Le cours aura lieu :

☐ le mardi à 21 h ☐ le mercredi à 17 h ☐ le mercredi à 21 h

g. D'après la conversation, le jeune homme devra :

	Vrai	Faux
• faire un test	☐	☐
• abandonner son cours de sport de combat	☐	☐
• suivre un cours avec un maître	☐	☐
• déplacer son cours de sport de combat	☐	☐

Jouez

7. Faites le portrait chinois d'un de vos amis ou d'une personne célèbre.

Si c'était	Ce serait
un métier	
une couleur	
un instrument de musique	
un titre de film	
un jeu	
une boisson	
une voiture	
un sport	
un siècle ou une époque	
une carte à jouer	

8. Puzzle.
On a mélangé les mots de cinq phrases. Utilisez ces mots pour former au moins trois phrases.
Attention ! on ne doit pas utiliser deux fois le même mot.

Ludovic à rien pour gauche heures la sandwichs à boire a huit l' la à guitare part y acheté les n' on a est a Valérie il excursion gare

Belle histoire !

Vous allez apprendre à :

- ☑ vous situer dans le temps
- ☑ donner votre opinion
- ☑ maîtriser l'emploi du passé simple et du passé antérieur

Travail avec les pages Interactions

Vocabulaire

• agressivité (n.f.) ____
anxiolytique (n.m.) ____
béton (n.m.) ____
boitillement (n.m.) ____
débrouillardise (n.f.) ____
démence (n.f.) ____
déroute (n.f.) ____
hallucination (n.f.) ____
intempérie (n.f.) ____
nombril (n.m.) ____
paroi (n.f.) ____
plâtre (n.m.) ____
pudeur (n.f.) ____
roucoulement (n.m.) ____
tempe (n.f.) ____
• affecté (adj.) ____
chloré (adj.) ____
insalubre (adj.) ____
• assaillir (v.) ____
distordre (se) (v.) ____
masser (se) (v.) ____
ombrer (v.) ____

1. Vérifiez votre compréhension. Lisez la nouvelle et les trois extraits (p. 106-107 du Livre de l'élève) et retrouvez les informations suivantes :

	Le lieu	Le ou les acteurs	L'histoire à raconter	Le moment, l'époque
Bernard Werber				
Marie N'Diaye				
Patrick Chamoiseau				
Calixthe Beyala				

2. Retrouvez à quelle catégorie renvoient ces adjectifs.

a. Insalubre : ....

b. Nerveux : ....

c. Inconfortable : ....

d. Léger : ....

e. Bizarre : ....

3. Dans quel type de roman peut-on lire chacune de ces phrases ?

Biographie – roman de science-fiction – autobiographie – roman psychologique – roman policier.

a. Lors de mon premier voyage, je me jetai sur l'Italie comme on se jette à 18 ans sur un corps.

→ ....

b. Le commissaire regardait le corps. Il pensa : « Fils de famille alcoolique et dépravé. »

→ ....

c. J'ai traversé le temps jusqu'à oublier le nom de la planète où je suis née.

→ ....

d. Il arrive à Paris en 1871 ; il n'a pas vingt ans, pas un sou en poche, seulement ses mots pour tout bagage.

→ ....

e. Jamais je n'avais attendu avec autant d'impatience et d'incertitude. Onze heures sonnèrent. Je sus à ce moment-là qu'elle ne viendrait pas.

→ ....

4. Complétez avec un type de livre.

a. Zut ! Ça s'écrit comment ? Je vais chercher dans ....

b. Superbe, la cathédrale ! Tu peux nous lire ce qu'ils disent dans .... ?

c. Très bon, ton plat. Tu as trouvé la recette où ?

– Dans mon ....

d. Très belle, l'expo... On achète .... ?

e. Ce poème fait partie d'une .... des plus beaux textes du poète.

f. Tu pourras le lire, il vient de paraître en .... Pas cher !

g. Encore Astérix ! Tu pourrais lire autre chose que des .... !

h. Prenez votre .... d'histoire, page 142.

5. Trouvez le sens de ces expressions. Utilisez les mots de la liste.

Complication – embarras – mensonge – oublier – sens.

a. Ne raconte pas d'histoires : **Ne dis pas de mensonges.**

b. Ce projet ne rime à rien : ....

c. Il est temps de tourner la page : ....

d. Tu ne vas pas en faire une histoire : ....

e. Elle est dans une situation très critique : ....

Travail avec les pages Ressources

Vocabulaire

- handicapé (n.m.) ______ microbe (n.m.) ______ vaccin (n.m.) ______

C'est à savoir

Le passé simple

- *Parler* (et verbes en *-er*)
  je parl**ai**, tu parl**as**, il/elle parl**a**
  nous parl**âmes**, vous parl**âtes**, ils/elles parl**èrent**
- La forme du passé simple est souvent proche du participe passé du verbe. On rencontre :
  - des formes en [i] : finir → il **finit** – voir → elle **vit**
  - des formes en [y] : vouloir → je voul**us** – pouvoir → je **pus** – avoir → j'**eus** – être → je **fus**
  - des formes en [ɛ̃] : venir → elle **vint**

1. Trouvez le passé simple des verbes suivants :

a. Distordre : **il distordit**
b. Disparaître : ______
c. Apercevoir : ______
d. Se souvenir : ______
e. Se produire : ______
f. Répondre : ______
g. Dire : ______
h. Fixer : ______

2. Passez du passé simple au passé composé : reformulez le texte suivant.

Romain Gary **mourut** en 1968 quand **naquit** Émile Ajar qui, comme Romain Gary, **mourut** en 1980. Romain Gary, qui **connut** la célébrité très tôt, en 1945, avec son premier roman *Éducation européenne*, **reçut** le prix Goncourt en 1956 pour *Les Racines du ciel*.

Lassé de n'être reconnu que comme un bon romancier de tradition, il **décida** de renaître avec une nouvelle identité sous le nom d'Émile Ajar. C'est en 1974 que **parut** *Gros Câlin*, qui connut immédiatement un très gros succès. Et en 1975, il **obtint** pour la seconde fois le prix Goncourt avec *La Vie devant soi*. Les critiques **considérèrent** à l'époque qu'il s'agissait du « Goncourt le plus marquant de ces vingt dernières années ». C'est par un écrit posthume, *Vie et Mort d'Émile Ajar*, qu'il **révéla** le dédoublement qui lui **permit** de renaître comme écrivain.

C'est à savoir

Passé simple et passé antérieur

■ **Système des temps du récit au passé simple**

- **Le passé simple** exprime les actions principales achevées dans le passé.
  *Il **arriva** à 8 heures du soir.*
- L'imparfait exprime les états ou les actions en train de se dérouler pendant l'action principale.
  *Il arriva à 8 heures du soir. Il **neigeait**.*
- Le passé antérieur exprime une action antérieure à une action au passé simple. Ces deux actions sont toujours dans une même phrase.
  *Quand il **eut refermé** la porte, il nous raconta son voyage.*
- Le plus-que-parfait exprime une action ou un état antérieur à l'action principale.
  *Il arriva à 8 heures. La neige **avait recouvert** la route.*

■ **Le passé antérieur**

avoir ou être au passé simple + futur antérieur
*Quand il **eut dîné**... Quand elle **fut sortie**...*

3. Racontez : complétez.

a. Quand ils (*arriver*) **furent arrivés** en haut du Corcovado, ils (*s'arrêter*) ______ pour contempler la ville.

b. Après qu'ils (*admirer*) ______ la baie de Rio, ils (*décider*) ______ de déjeuner là.

c. Dès qu'ils (*installer*) ______, ils (*commencer*) ______ à évoquer les souvenirs de films liés au lieu.

d. Une fois qu'ils (*se réjouir*) ______ avec ces souvenirs, ils (*convenir*) ______ d'organiser une soirée pour revoir ces films.

e. Lorsqu'ils (*terminer*) ______ de déjeuner, certains (*choisir*) ______ de faire la descente à pied.

4. 32 **Inquiétudes. Transformez.**

a. Nous sommes en retard ? → **Sommes-nous en retard ?**

b. François a bien commandé le taxi ? → ____________________

c. Quand arrive le taxi ? → ____________________

d. Les billets sont dans ton portefeuille ? → ____________________

e. Les autres nous retrouvent sur place ? → ____________________

5. Question de temps : transformez les verbes.

a. Je promets que les travaux seront terminés la semaine prochaine.

→ Dans son courriel, il **promettait** que les travaux **seraient terminés** la semaine prochaine.

b. Je téléphonerai de Munich demain.

→ Il nous avait dit qu'____________________

c. Je reviendrai après-demain.

→ Il nous promit qu'____________________

d. Le week-end dernier, je suis allé en Espagne.

→ Dans son dernier courriel, il ____________________

e. Il y a deux jours, j'ai rencontré mon architecte.

→ Il nous répondit que ____________________

6. Se situer dans le temps. À partir des éléments ci-après, rédigez l'article qui commence par :

- **Mars 2005 :** Costello est engagé par la société EQUIP'ARM. C'est un ingénieur spécialiste des systèmes d'information ; il vient de la société INTEREXPORT.
- **Mai 2007 :** Costello est recruté par les services de renseignement. Il occupe un poste important et il a accès à des dossiers « sensibles ».
- **Samedi 14 mai 2009 :** Costello quitte Paris. Il prend à 18 h le vol Air France 154 pour Rome.
- **Samedi 21 mai :** Costello est vu à 13 h dans un restaurant de la Piazza Navona à Rome.
- **Dimanche 22 mai :** Costello est vu à 23 h dans une boîte de nuit à Rome.
- **Lundi 23 mai :** découverte de la disparition des disques de stockage des documents. Il est prouvé que seul un spécialiste ait pu dérober les documents.
- **Lundi 30 mai :** retour de Costello.
- **Mardi 31 mai :** arrestation de Costello.

C'est le dimanche 22 mai à 23 h que ____________________

7. 33 **Travaillez vos automatismes.**
Vous l'aviez déjà fait Construction avec deux pronoms.

• J'ai dit à Éric d'appeler plus souvent.

– Je le lui avais dit aussi.

• J'ai demandé à Magali de téléphoner plus régulièrement.

– ______________________________

• J'ai proposé à Nora de venir davantage.

– ______________________________

• J'ai promis à Annie d'aller la voir.

– ______________________________

• J'ai confirmé à Pierre notre arrivée.

– ______________________________

Travail avec les pages Projet

Vocabulaire

• cascadeur (n.m.) ______	tintamarre (n.m.) ______	impeccable (adj.) ______
élan (n.m.) ______	trame (n.f.) ______	nonchalant (adj.) ______
épouvante (n.f.) ______	vaudeville (n.m.) ______	récurrent (adj.) ______
grimace (n.f.) ______	veuf (n.m.) ______	• bâcler (v.) ______
intrigue (n.f.) ______	• criblé (adj.) ______	chiper (v.) ______
manigance (n.f.) ______	décadent (adj.) ______	gommer (v.) ______
rebondissement (n.m.) ______	épatant (adj.) ______	gondoler (se) (v.) ______
rigolade (n.f.) ______	faramineux (adj.) ______	obséder (v.) ______
suavité (n.f.) ______	futile (adj.) ______	rimer (v.) ______

Vérifiez votre compréhension

1. Retrouvez à quoi se rapportent les noms de lieux, de personnes, les titres cités dans l'article sur *Bonjour tristesse* de Françoise Sagan (p. 110).

a. Cajarc (Lot) : ______________________________

b. Quoirez : ______________________________

c. *Albertine disparue* : ______________________________

d. *La Vie immédiate* : ______________________________

e. Eluard : ______________________________

f. Côte d'Azur : ______________________________

g. Laclos : ______________________________

h. Cécile : ______________________________

i. Anne :

j. Zelda Fitzgerald :

k. Deauville :

l. Nimier :

m. Aston Martin :

n. Mathis-Bar :

2. Dites si ces remarques sur *Bonjour tristesse* sont vraies ou fausses. Corrigez-les lorsqu'elles sont fausses.

	Vrai	Faux
a. Françoise Sagan a écrit très jeune son premier roman.	☐	☐
b. Ce roman n'a pas eu de succès tout de suite.	☐	☐
c. Dans ce roman, elle expose ses états d'âme.	☐	☐
d. Ce roman exprime aussi les sentiments d'une époque.	☐	☐
e. L'histoire se déroule dans une famille bourgeoise traditionnelle.	☐	☐
f. Françoise Sagan avait des côtés extravagants.	☐	☐

3. Relisez l'article sur *Faubourg 36* (p. 112) et retrouvez à quoi se rattachent ces adjectifs :

a. Faramineux :

b. Simple :

c. Impeccable :

d. Épatant :

e. Captivante :

f. Récurrent :

g. Méchant :

h. Gentil :

i. Outré :

Parlez

4. À quels adjectifs de l'exercice 3 vous font penser les phrases suivantes :

a. Sa tenue était parfaite :

b. Sa maladie se manifeste à intervalle régulier :

c. Sa remarque déplaisante m'a profondément choqué :

d. Le prix de cet appartement est très élevé :

e. J'ai lu ce roman d'une traite :

f. Agnès Dupuis est une fille sympa que j'admire :

5. Critiquez quelqu'un avec les mots du cinéma.

Sous-titres – star – lumière – afficher.

a. Arrête de faire ton **cinéma** !

b. Quelle ________, celle-là !

c. J'ai compris, j'ai pas besoin de ________.

d. Tu vas t'________ avec lui encore longtemps ?

e. Ôte-toi de ma ________ !

6. **Caractérisez : dites-le autrement.**

Futile – frivole – nonchalant – décadent.

a. Il est très décontracté, il a une démarche ____________.

b. Il aime les hivers à Venise, les ambiances de palaces, la musique fin de siècle, il est très ____________.

c. Il ne s'intéresse qu'à des choses précisément sans intérêt ; il a un côté ____________.

d. Dans la voix comme dans les gestes, il apparaît ____________.

e. Rien de sérieux à attendre de lui, aussi bien en amour qu'en pensée... Il est trop ____________.

Écoutez

7. 34 **Écoutez le document sonore « Professeur "entre le murs" » et répondez aux questions.**

a. **Vous venez d'entendre :**

☐ un reportage
☐ un bulletin d'information
☐ une interview

b. **La personne que vous entendez parle :**

☐ d'un film
☐ d'une manifestation à laquelle elle a participé
☐ d'un établissement spécialisé

c. **La personne que vous entendez travaille dans le domaine :**

☐ du spectacle
☐ de l'éducation
☐ du sport

d. **La personne que vous entendez :**

	Oui	Non
• parle-t-elle de son sujet de façon passionnée ?	☐	☐
• donne-t-elle des informations pratiques ?	☐	☐
• est-elle spécialiste de son sujet ?	☐	☐
• présente-t-elle un reportage ?	☐	☐

e. **Comment s'appelle le film ?** ____________

f. **Où se passe le film ?** ____________

g. **Quels sont les goûts du professeur ?** ____________

Analysez

8. **À partir du tableau « Les six scénarios de fiction » (p. 111), attribuez chacun de ces titres de film à un des scénarios.**

a. *Le Fugitif* : ____________

b. *Casanova* : ____________

c. *La Guerre des mondes* : ____________

d. *Un homme pressé* : ____________

e. *À la recherche de l'arche perdue* : ____________

9. **Relisez l'article « Le cinéma français aujourd'hui » (p. 113).**

a. **Classez les films évoqués dans l'article dans une de ces catégories :**

- Film historique : ______
- Comédie sociale : ______
- Comédie dramatique : ______
- Film policier : ______
- Film politique : ______

b. **Qu'est-ce qui explique le succès actuel des films français** ______

10. **Lisez le compte rendu sur l'actualité des CD du mois et répondez aux questions.**

Les CD du mois

Thomas Fersen
Trois petits tours – Tôt ou tard

Trois petits tours d'un drôle de magicien qui sort de sa vieille valise un ukulélé et une poignée de chansons aussi poétiques que décalées. Si vous connaissez mal Thomas Fersen, cet album délicieusement enluminé va vous épater et vous enchanter.

Nathalie Stutzmann
Schubert – Calliope

Avec cet enregistrement de *La Belle Meunière* de Schubert, Nathalie Stutzmann continue son extraordinaire parcours schubertien. Elle nous avait déjà bouleversés avec un Voyage d'hiver magique et un Chant du cygne tout aussi inspiré. La beauté du timbre grave, un vrai contralto, la parfaite compréhension de ces pages complexes où la poésie se teinte souvent de rage, de désespoir ou d'images hallucinées, la complicité avec la magnifique pianiste Inger Södergren, tout contribue à servir Schubert comme on rêve de l'entendre.

Victoria Abril
O lala ! – Sony BMG

L'actrice fétiche de Pedro Almodovar se fait plaisir, reprend « les chansons d'amour qu'on [lui] chantait à l'oreille [lorsqu'elle a] débarqué à Paris il y a 25 ans », et mâtine des chefs-d'œuvre de Ferré, Gainsbourg, Barbara, Piaf, Nougaro des couleurs rouge et or du flamenco. Un disque ardent, sensuel et élégant. À son image.

Coldplay
Viva la vida or Death and all Friends – EMI

Inspiré d'un tableau de Delacroix et du titre d'une œuvre de Frida Kahlo, ce quatrième album de Coldplay marque une étape dans la carrière du grand groupe anglais. Dirigé par un Brian Eno décidément toujours aussi inspiré et aventureux, Chris Martin et ses hommes durcissent le ton de leurs guitares et signent un album plutôt sombre, nouveau point de départ après (selon l'aveu même du chanteur) une trilogie désormais achevée.

a. **À quel genre appartient chacun de ces CD ?**

- Variété : ______
- Classique : ______
- Pop : ______
- World : ______

b. **Dans quel CD trouve-t-on :**

- une inspiration allemande : ______
- une allusion à une artiste mexicaine : ______
- un instrument de musique hawaïen : ______
- une référence à un genre espagnol : ______

Leçon 12

C'est ma passion

Vous allez apprendre à :

- ☑ parler de vos centres d'intérêt et de vos passions
- ☑ enchaîner les idées
- ☑ maîtriser l'usage des propositions participes

Travail avec les pages Interactions

Vocabulaire

• cellule (n.f.) ____________
empreinte (n.f.) ____________
incarcération (n.f.) ____________
magie (n.f.) ____________
récif (n.m.) ____________
sirène (n.f.) ____________
tourbillon (n.m.) ____________
• carcéral (adj.) ____________
pomponné (adj.) ____________
• ensorceler (v.) ____________
flairer (v.) ____________

1. Vérifiez votre compréhension. Classez les expériences décrites ou citées dans le dossier « À faire… une fois dans sa vie » (p. 114-115 du Livre de l'élève).

a. Expériences de vie sociale : ____________

b. Expériences sportives : ____________

c. Expériences du rapport à la nature et aux éléments : ____________

d. Expériences intellectuelles, culturelles et imaginaires : ____________

2. Complétez la définition : retrouvez le mot ou l'expression qui convient dans le texte.

a. Quand un bateau coule, **il fait naufrage**.

b. Quand une femme est habillée, maquillée avec soin, on dit qu'elle est ____________

c. D'un astre qui vous protège, on dit que c'est sa ____________

d. Vouloir l'impossible, c'est vouloir ____________

e. Quand un chien s'approche, renifle longuement, il vous ____________

f. Mettre un homme en prison, c'est l'____________

3. Voici une liste de verbes extraits des suggestions des pages 114 et 115 : classez-les suivant qu'ils évoquent :

a. une sensation : ____________

b. une action : ____________

Éprouver – repérer – approcher – charmer – ensorceler – observer – rencontrer – localiser – expérimenter – visiter – toucher – séjourner – flairer.

4. Complétez avec les substantifs correspondant à des verbes pris dans la liste ci-dessus.

a. Il négocie en jouant aussi avec son **charme**.

b. En affaires, on dit qu'il a beaucoup de ____________

c. Contredisez-le, il vous regarde comme s'il vous jetait un ____________

d. Travailler avec lui peut ressembler parfois à une ____________

e. Pour beaucoup, ils en parlent comme d'une ____________ décisive.

5. Relevez dans chacune des suggestions contenues dans « À faire… une fois dans sa vie » ce qui exprime le conseil, la prescription.

a. Écouter le chant des sirènes

Pour apprécier le romantisme, laissez-vous charmer par la Lorelei.

b. Prendre le thé au Ritz

c. Donner son nom à une étoile

d. Caresser les baleines

e. Passer une nuit en prison

f. Marcher sur le feu

Travail avec les pages Ressources

Vocabulaire

- langouste (n.f.) ______
- débrouiller (se) (v.) ______

1. Comme dans une lettre… Construisez des propositions participes.

a. Je me tiens à votre disposition ; je vous prie de croire en mes meilleurs sentiments.

Me tenant à votre disposition, je vous prie…

b. Je vous assure de mon parfait dévouement ; je vous prie d'accepter mes meilleures salutations.

c. Je vous laisse libre de votre décision ; je me permets toutefois d'insister sur un fait.

d. J'espère pouvoir rejoindre votre équipe ; je vous prie de croire à ma haute considération.

e. Je vous renouvelle mes remerciements pour vos encouragements ; je reste à l'écoute de vos suggestions.

2. Comme dans un guide touristique : construisez des propositions participes ; reliez les deux phrases.

a. La Chapelle royale a été construite au XVIe siècle ; elle reflète un gothique tardif.

Construite au XVIe siècle, la Chapelle royale reflète un gothique tardif.

b. Le Palais a été habité par la même famille depuis trois siècles ; il conserve tout son mobilier.

c. La cathédrale a été restaurée récemment ; elle dévoile une profusion baroque d'anges dorés.

d. Le Dôme s'est écroulé à la suite du tremblement de terre ; il vient seulement d'être restauré.

e. La ville a subi de profondes transformations ; elle a cependant protégé son patrimoine.

3. Les risques du métier. Reformulez les phrases suivantes en utilisant : *bien que – comme – en même temps – grâce à – si.*

a. Tout en faisant du cinéma, elle continue à faire du théâtre.
Bien qu'elle fasse du cinéma, elle continue à faire du théâtre.

b. Elle gagne un peu d'argent en faisant du doublage.

c. Mais tout en ayant peu de temps, elle réussit à passer des auditions.

d. En se dispersant trop, elle risque de passer pour une touche-à-tout.

e. En se concentrant de nouveau sur quelques propositions, elle réussira.

f. Tout en travaillant beaucoup, elle s'occupe de ses enfants.

4. Débat électoral : enchaînez les idées ; aidez-vous du tableau page 117.

De nombreuses raisons expliquent l'échec de l'opposition. D'une part...

• Son absence de cohésion :
– des projets qui veulent satisfaire tout le monde ;
– des coûts qui explosent ;
– un choix des personnels qui donne la préférence aux appartenances politiques.

• Ses choix hasardeux
– on ne tient pas compte des besoins de la population ;
– le médiatique prévaut sur l'utile ;
– les responsables ne prennent jamais l'avis de personnes compétentes ;
– le secret est le mode quotidien de gestion des dossiers.

5. Vacances. Complétez chaque enchaînement avec : *pourtant – soit ... soit – en revanche – encore que.*

Éric n'aime pas passer ses week-ends à la campagne...

a. **En revanche,** il aime aller se promener en forêt.

b. ______ il a accepté d'aller passer quinze jours de vacances en Ardèche.

c. ______ le lieu ne soit pas vraiment isolé pour qu'il puisse aller boire une bière ou lire le journal au café.

d. ______ il a accepté parce qu'il aime bien François, ______ il a un projet important sur lequel il voudrait travailler.

6. Curieux ce garçon Utilisez les expressions suivantes : ***non seulement... mais – ou bien... ou bien – quant à – par contre.***

Jean-Christophe n'aime pas du tout le cinéma ; **par contre**, Éric et moi nous ne parlons que de ça ou presque.

__________ il n'y connaît rien __________ il a tout un discours sur la supériorité de l'écrit sur l'image.

__________ essayer de l'emmener voir un film, ce n'est pas la peine d'y penser.

__________, l'autre soir, il a bien voulu assister à la projection en présence des artistes.

__________ c'était pour nous faire plaisir, __________ c'était sa curiosité people ; mais ça, il ne l'avouera jamais !

7. 35 et 36 **Travaillez vos automatismes.**

a. Sanctions : emploi de la proposition participe présent.

• Les étudiants qui ne font pas de sport viendront travailler le samedi.

→ **Les étudiants ne faisant pas de sport viendront travailler le samedi.**

• Les parents qui ne viennent pas aux réunions seront exclus du conseil.

→ __________

• Les élèves qui ne rendent pas leur devoir à temps seront sanctionnés.

→ __________

• Les professeurs qui ne signalent pas les absents recevront un avertissement.

→ __________

• Les étudiants qui arrivent en retard au cours seront refusés. → __________

b. Loisirs : utilisez les expressions ***non seulement ... mais aussi*** **et** ***soit ... soit.***

• Il va faire du sport en semaine et quelquefois le week-end.

→ **Non seulement il va faire du sport en semaine mais aussi quelquefois le week-end.**

• Il regarde des DVD tous les soirs et il va aussi au cinéma.

→ __________

• Il emmène son fils à l'entraînement et il l'emmène aussi au stade pour les matchs.

→ __________

• Il part en vacances avec toi ou il part avec moi. → __________

• Elle prend des leçons de boxe ou elle prend des leçons de musique.

→ __________

Travail avec les pages Projet

Vocabulaire

• alternance (n.f.) __________
apogée (n.m.) __________
billard (n.m.) __________
céramique (n.f.) __________
engouement (n.m.) __________
entrecôte (n.f.) __________
fougue (n.f.) __________
fusain (n.m.) __________
gouache (n.f.) __________
jarret (n.m.) __________
levain (n.m.) __________
musculation (n.f.) __________
procédé (n.m.) __________
racine (n.f.) __________
tricot (n.m.) __________
tripot (n.m.) __________
vivacité (n.f.) __________
• décontracté (adj.) __________
• dénicher (v.) __________
épauler (v.) __________
tapisser (v.) __________
• sommairement (adv.) __________

Vérifiez votre compréhension

1. Classez les activités de l'encadré page 118.

a. Activités artistiques : ......

b. Vie pratique : ......

c. Activités sportives et ludiques : ......

d. Loisirs culturels : ......

2. Lisez les informations sur les trois stages page 120 et complétez le tableau.

	Type d'activité	Originalité	Personnes susceptibles d'être intéressées	Qualités requises
Capoeira				
Cuisine				
Hangar't				

3. Reprenez la liste des activités et classez-les suivant qu'elles mobilisent :

a. la convivialité : ......

b. l'individualité : ......

c. le contact avec d'autres cultures : ......

d. la détente : ......

e. l'esprit collectif : ......

4. Voici un choix d'activités : indiquez les qualités qu'elles exigent. Utilisez le tableau de vocabulaire de la page 118.

	Qualités physiques	Qualités intellectuelles	Qualités sociales	Qualités artistiques
Aquarelle		attention, observation		précision, sens des couleurs
Bricolage				
Billard				
Cuisine				
Danse africaine				
Jardinage				
Jogging				
Photographie				
Sculpture sur bois				

Parlez

5. Voici des définitions de mots croisés originales. Quelles activités désignent-elles ?

a. S'achève en bouquet : **la composition florale.**

b. Art de renvoyer la balle : ......

c. Chercher sa cible : ......

d. Attention à ne pas perdre la boule : ......

e. Avoir l'œil : ......

6. Formez des expressions (aidez-vous de l'encadré sur les qualités page 120).
À propos d'un livre, mettre en valeur :

a. **La souplesse** de la pensée.

b. ______________________ du style.

c. ______________________ de l'inspiration.

d. ______________________ dans la conduite du récit.

e. ______________________ dans l'observation du monde.

7. Emplois figurés. Trouvez le sens de ces expressions.

a. Tu veux que je te fasse un dessin ?
Il faut que je t'explique davantage.

b. Tout ça sent la cuisine électorale.

____

c. C'est vraiment un travail de bricoleur.

____

d. Dans cette affaire, moi je suis très zen.

____

e. C'est une caricature de débat.

____

Écoutez

8. 37 **Écoutez le document sonore « Temps libre » et répondez aux questions.**

a. **Vous venez d'entendre :**

☐ une interview ☐ un reportage ☐ une émission de radio

b. **Comment s'appelle le programme ?** ……………………

c. **À quel document fait allusion la présentatrice ?** ……………………

……………………

d. **Quelle est l'information principale donnée par ce document ?**

……………………

e. **Vrai ou faux ? Le document parle :**

	Vrai	Faux
• d'une enquête sur les pratiques des internautes	☐	☐
• du temps passé à surfer ou devant la télévision	☐	☐
• du type d'achat culturel effectué en ligne	☐	☐
• du classement des sites culturels	☐	☐
• des causes de la faiblesse des pratiques culturelles des Français	☐	☐

f. **Retrouvez les chiffres correspondant à ces données :**

- Nombre d'internautes connectés quotidiennement : ……………………
- Temps mensuel de connexion : ……………………
- Temps moyen quotidien passé devant la télévision : ……………………
- Pourcentage de personnes n'ayant pas lu un seul livre pendant les douze derniers mois : ……………………

Analysez

9. **Lisez l'encadré sur « Le paysage associatif » (p. 121) et répondez aux questions.**

a. **Comment s'appelle la loi sur les associations ?** ……………………

b. **Approuvez ou nuancez ces affirmations.**

- Il y a environ 1 million d'associations en France.
- Le secteur associatif est très dynamique et en pleine expansion.
- Les associations s'intéressent à de nombreux secteurs de la vie publique.
- La plupart des Français sont membres d'une association.
- Beaucoup de personnes qui s'occupent d'associations ne sont pas rémunérées.

c. **Retrouvez le pourcentage de créations d'associations pour chaque secteur :**

- culturel : ……………………
- sportif : ……………………
- sanitaire : ……………………
- social : ……………………

10. Lisez l'article « Secouons nos plats routiniers ».

SECOUONS NOS PLATS ROUTINIERS : RIEN DE TEL QUE D'INVENTER EN CUISINE !

La création la plus immédiate, la plus quotidienne, concerne les plats que nous mangeons. Nul n'est tenu aux recettes classiques, et pourtant avec quelle facilité nous nous laissons guider par la routine ! Élysée Padilla, qui dirige le restaurant Terre de saveur, en Avignon, estime que « la cuisine est un art qui doit se réinventer chaque jour ».

Qu'est-ce qu'un chef cuisinier : un créateur ? Un artiste ?
Soyons précis, c'est un transformateur. Créer en cuisine, c'est prendre une recette et la transformer, la manipuler, y mettre sa touche.

Votre cuisine est internationale. La diriez-vous nomade ?
Je puise des idées partout, dans les romans d'aventure où l'on parle de nourriture, dans les livres de cuisine andalouse de l'époque médiévale Quand je voyage, je cherche dans les marchés, je m'informe sur les produits locaux, les légumes, les fruits, j'ouvre mon esprit à toute nouveauté. Je conseille toujours d'oser interroger les habitants du pays (surtout les anciens) sur leur façon de préparer leurs épices et d'apprêter leurs spécialités.

Y a-t-il des erreurs majeures à éviter pour créer en cuisine ?
Non, les découvertes se font sur des erreurs. Il faut se sentir libre. Une seule règle à respecter : s'interdire d'exciter le palais par une utilisation abusive de sel, de sucre, de crème, d'épices ou d'alcool. À partir de là, on improvise, c'est-à-dire qu'on prend une recette et qu'on l'accommode selon l'inspiration du moment. On peut modifier les proportions, le sucré, le salé, l'acide, le farineux, le pulpeux, etc. Ne jamais hésiter à diversifier les saveurs ! Et surtout essayer de ne pas cuisiner dans l'urgence, mais dans des conditions d'harmonie, de sérénité, de plaisir. Sans calme et tranquillité, pas de bonne cuisine. Attention aux humeurs ! Cuisiner avec amertume ne peut que produire une cuisine amère...

D'autres conseils ?
J'en vois deux : mettre l'accent sur le côté artistique de la présentation, car le premier sens en jeu est la vue. L'odorat vient en second. La consistance en bouche et la saveur seulement après. Il faut donc cuisiner comme un artiste peint sa toile ! Et puis il est indispensable de se débarrasser de la gloutonnerie commune. Avant de se délecter d'un plat, il est essentiel de respecter un temps de pause, un silence, une contemplation. Les gens mangent trop vite ! L'attention cordiale à ce que l'on mange permet une meilleure digestion.

À lire : Élysée Padilla, *La Cuisine des parfums du monde*, Éditions du Relié.

a. Faites la fiche d'identité de l'interviewé.

- Nom : ……
- Nom du restaurant : ……
- Adresse : ……
- Publication : ……

b. Comment le chef se définit-il en tant que cuisinier ? Donnez des exemples.

c. Quelles sont ses sources d'inspiration ?

d. Faites la liste des conseils donnés par le cuisinier.

• Compréhension de l'oral

Reportez-vous aux activités des leçons 9 à 12 : « Écoutez le document sonore. »

Page 69, exercice 9 : « C'est urgent ! » – Page 76, exercice 6 : « Poker d'as » – Page 85, exercice 7 : « Professeur "entre les murs" » – Page 92, exercice 8 : « Temps libre ».

• Compréhension des écrits

Objectif : se distraire et se cultiver.

Lisez le texte et répondez aux questions.

La magie **JULIETTE GRÉCO**

Elle fête ses 60 ans de carrière et son nouvel album « Je me souviens de tout » au Théâtre des Champs-Élysées. L'occasion d'applaudir une immense artiste.

Juliette Gréco, les 4, 5, 8 et 10 juin à 20 h. Théâtre des Champs-Élysées, 15 avenue Montaigne, 8e. Place : de 15 à 68 € – Rens. au 01 49 52 50 50. Album chez Polydor.

✔ ATTENTION ! Événement... Ne manquez pas le nouveau Festival « Paris en toutes lettres » organisé par la Ville de Paris. Lectures, performances, ateliers d'écriture, cafés, bals et concerts littéraires se dérouleront surtout autour du Châtelet et du 104. Mais un peu partout, les mots fuseront dans les librairies et les bibliothèques. Toute une histoire !

Du 4 au 8 juin. Programme complet sur www.paris.fr. Gratuit.

Des gens hors du moule

À la Galerie Emmanuel Perrotin, on admire actuellement un enfant jouant au base-ball, un adolescent au look de surfeur, des ouvriers à la pause déjeuner... Un reportage photo sur les États-Unis ? Non, des sculptures grandeur nature de Duane Hanson qui a statufié ses concitoyens pour dénoncer la pauvreté, la solitude, le racisme... Les sept personnages présentés sont d'un hyperréalisme saisissant. Une expérience qui ne laisse pas de marbre.

« Duane Hanson, Illusions perdues », jusqu'au 11 juillet, du mardi au samedi de 11 h à 19 h, Galerie Emmanuel Perrotin, 76, rue de Turenne, 3e. Entrée libre.

Ouagadougou à vif

Est-ce de la danse contemporaine ou africaine ? Peu importe. Car les pièces des Burkinabés Salia Sanou et Seydou Boro parlent à tous les publics. « Poussière de sang », leur dernière création, inspirée par la violence de la vie à Ouagadougou - d'où sont originaires les chorégraphes - met en scène sept danseurs hommes et femmes accompagnés de cinq interprètes de musique traditionnelle. Un spectacle comme un message universel.

« Poussières de sang » les 2, 3, 4, 5 et 6 juin à 20h30, Théâtre de la Ville, 2, place du Châtelet, 1er. Rens. au 01 42 74 22 77. Places de 12 à 23 €.

Un monde à parcs

Vous les aimez comment les jardins ? À la française ou plutôt fous comme chez les Britanniques ? Du 5 au 7 juin, il y en aura pour tous les goûts avec ces « Rendez-vous aux jardins » qui ouvrent les portes des jardins de France. À Paris, visites guidées, animations et expositions vous éclaireront sur ces quelque 400 parcs. On fonce découvrir celui de la BNF et le Théâtre de verdure de Bercy, exceptionnellement ouverts au public.

Rens. sur www.rendezvousauxjardins.culture.fr.

Filles de l'art

Même dans les musées, il n'y a pas de parité ! Les femmes constituent moins de 18 % des artistes des collections du Centre Pompidou. Pour se faire pardonner, Beaubourg a réorganisé son exposition permanente autour de peintres, de designers, d'architectes, de photographes et de sculpteurs exclusivement féminins. Dans ce parcours chronologique et thématique de 500 œuvres et de 200 artistes, les pionnières comme Sonia Delaunay et Frida Kahlo côtoient des créatrices plus récentes comme Helen Frankenthaler, Sophie Calle ou Annette Messager. L'occasion de rappeler que, en toute chose, on peut compter sur les femmes.

elles@centrepompidou, du 27 mai 2009 au 24 mai 2010. Place Georges Pompidou, 4e. Entrée : 10 et 12 €.

1. Lisez le document « Je découvre ». S'agit-il de :

☐ **a.** une information sur les loisirs culturels ?
☐ **b.** une information sur le tourisme culturel ?
☐ **c.** une information sur la vie artistique ?

2. Classez les informations : à quelle catégorie appartiennent-elles ?

a. Spectacle : ______

b. Exposition : ______

c. Loisir : ______

d. Festival : ______

3. Que peut-on voir :

a. à la Galerie Perrotin : ______

b. au Théâtre de la Ville : ______

c. au Théâtre des Champs-Élysées : ______

d. au Centre Pompidou : ______

4. Qui sont :

a. Salia Sanou et Seydou Boro : ______

b. Duane Hanson : ______

c. Juliette Gréco : ______

d. Frida Kahlo : ______

5. Relisez l'article et retrouvez :

a. les événements qui seront organisés à l'occasion de « Paris en toutes lettres » : ______

______

b. les deux types de jardins mentionnés : ______

c. l'objectif poursuivi par Duane Hanson : ______

d. le pourcentage d'artistes femmes qui font partie des collections du Centre Pompidou : ______

e. la ville et le pays dont sont originaires les chorégraphes Sanou et Boro : ______

6. Notez les expressions par lesquelles le journaliste :

a. invite à se rendre aux différents événements : ______

b. caractérise ces événements : ______

• Production écrite

Vous avez participé à un événement culturel francophone dans votre pays et vous souhaitez le faire connaître aux lecteurs du magazine Internet « France magazine ». Vous écrivez l'article.

Vous préciserez : la nature de l'événement ; où, quand, comment il s'est déroulé ; quelles réactions il a suscitées ; quelles impressions vous en retirez en tant que participant.

• Production orale

Sortie de cinéma après la projection. Il a aimé, elle n'a pas aimé ou inversement. Vous justifiez votre appréciation.

Intérêt du sujet ; scénario ; personnages ; mise en scène, rythme ; jeux des acteurs ; comparaison avec d'autres films du même genre... (Pour vous aider : encadrés page 111 « Les six scénarios de fiction les plus fréquents » et page 113 « Parler du cinéma ou de théâtre »)